Navegando 1

Grammar and Vocabulary Exercises

Paul J. Hoff
Nuria Ibarrechevea Hoff

EMCParadigm Publishing
Saint Paul, Minnesota

Product Manager
James F. Funston

Senior Associate Editor
Alejandro Vargas Bonilla

Consultant
David Thorstad

Layout and Design
Mori Studio Inc.

ISBN 0-8219-2805-8

Published by EMC/Paradigm Publishing
875 Montreal Way
St. Paul, Minnesota 55102
800-328-1452
www.emcp.com
E-mail: educate@emcp.com

Printed in the United States of America
2 3 4 5 6 7 8 9 10 XXX 09 08 07 06 05 04

TABLE OF CONTENTS

Capítulo $\boxed{1}$

◆ Lección A

1 Complete the following conversation by choosing from the words in the box.

mucho	**tú**	hola	**me**	**yo**

CLARA: ¡Hola!

ANA: ¡(1)_____! ¿Cómo te llamas?

CLARA: (2)_____ llamo Clara. ¿Y (3)_____?

ANA: (4)_____ me llamo Ana.

CLARA: ¡(5)_____ gusto, Ana!

ANA: ¡Mucho gusto, Clara!

2 Write six different Spanish first names. Each name should begin with the first letter of the country listed in the left column.

País		**Nombre**
MODELO España	Esteban	
1. Colombia	_____	
2. Ecuador	_____	
3. México	_____	
4. Panamá	_____	
5. Guatemala	_____	
6. Venezuela	_____	

3 The following Spanish first names have their letters in the wrong order. Spell the names correctly by starting with the capital letter and putting the other letters in their correct order. Then say the letters found in each name.

1. drePo _____

2. Ddvia _____

3. faíSo _____

4. itCrsian _____

5. qeRalu _____

6. lMeuna _____

7. sanSau _____

4 Write the next numbers based on the sequence provided.

1. dos, cuatro, _____, _____, _____

2. tres, seis, _____, _____, _____

3. cuatro, ocho, _____, _____, _____

4. quince, catorce, _____, _____, _____

5. veinte, dieciocho, _____, _____, _____

5 Find and circle six numbers that are spelled out in the grid.

S	I	E	T	E	D	A
Z	O	Y	P	S	U	X
B	V	T	R	E	S	Z
O	E	L	U	N	O	W
C	I	N	C	O	S	Ñ
O	N	O	L	A	E	I
R	T	E	D	X	I	B
Q	E	V	W	K	S	G

6 Complete each addition problem.

MODELO   5 + 8 = <u>trece</u>

1. 9 + 6 =   _____

2. 2 + 5 =   _____

3. 11 + 9 =   _____

4. 10 + 2 =   _____

5. 16 + 3 =   _____

6. 4 + 10 =   _____

7 Match each country in the left column with its capital city in the right column.

1. _____ Chile   A. Santo Domingo

2. _____ Argentina   B. San José

3. _____ España   C. Caracas

4. _____ Cuba   D. Montevideo

5. _____ Costa Rica   E. Lima

6. _____ Venezuela   F. Madrid

7. _____ Uruguay   G. Santiago

8. _____ República Dominicana   H. La Habana

9. _____ Honduras   I. Buenos Aires

10. _____ Perú   J. Tegucigalpa

8 The preceding exercise lists ten countries and capitals. Now list five additional Spanish-speaking nations and their corresponding capital cities.

	País	Capital
1.	_____	_____
2.	_____	_____
3.	_____	_____
4.	_____	_____
5.	_____	_____

9 Answer the following questions in complete sentences in order to give your name, age and hometown or country of origin.

1. ¿Cómo te llamas?

   _____

2. ¿Cuántos años tienes?

   _____

3. ¿De dónde eres?

   _____

Lección B

1 Complete the conversation by choosing from the words in the box.

> **bien** *cómo* **estoy** *tú*
>
> **pronto** *estás*

CARLOS: ¡Hola! ¿Cómo (1)_____?

JUAN: (2)_____ regular, gracias. Y (3)_____, ¿qué tal?

CARLOS: Muy (4)_____, gracias.

2 You have learned a variety of greetings and farewells in chapter 1. Write an appropriate greeting or good-bye for each of the following situations.

1. You meet your friends at school in the morning.

   _____

2. You say good-bye to your Spanish teacher as you leave class.

   _____

3. You greet a friend at 3:00 in the afternoon.

   _____

4. You say good-bye to a friend you will see later in the day.

   _____

5. You greet your friends when you arrive at an evening event.

   _____

6. You say good night to a friend you will see tomorrow.

   _____

Repaso rápido: informal and formal subject pronouns

In Spanish you should use the informal *tú* when talking to someone you refer to by a first name. Use the more formal *usted* (abbreviated *Ud.*) with an adult you don't know well or when speaking with someone you would address using a title such as *señor, señora* or *señorita*. In most Spanish-speaking countries the plural *ustedes* (abbreviated *Uds.*) is used when talking formally or informally to two or more people. However, in Spain people distinguish between the formal ustedes and the informal *vosotros,-as*, which is used when speaking with two or more friends.

3 **Indicate whether you should use *tú, Ud., Uds., vosotros* or *vosotras* with the following people.**

1. your sister _____

2. your dentist _____

3. three friends in Mexico _____

4. two female friends in Spain _____

5. a group of teachers _____

6. a salesperson in a store _____

7. your friend in Chile _____

4 Teresa is a very polite student. Write what she says in the following situations.

1. She asks a friend for help with her homework.

   _____

2. She interrupts a conversation in order to deliver a message.

   _____

3. She wants to pass through a line in the school cafeteria.

   _____

4. She responds to a friend who has thanked her for her assistance.

   _____

5 Complete each math problem.

MODELO   15 + 20 =   treinta y cinco

1. 12 + 30 = _____

2. 28 + 37 = _____

3. 60 + 18 = _____

4. 55 - 22 = _____

5. 93 - 40 = _____

6. 100 - 86 = _____

7. 3 x 20 = _____

6 Complete the following chart. In the left column put the names of four different relatives. Then write their ages in digits and in words in the middle and right columns.

	Nombre	Edad (en números)	Edad (en letras)
1.			
2.			
3.			
4.			

Repaso rápido: time

Remember the following expressions to ask for and to say what time it is:

What time is it?   It is (number) o'clock.
¿Qué hora es?   *Es la* (+ number)./*Son las* (+ number).

Use *y* (+ number of minutes through *veintinueve*) to add minutes after the hour or *menos* (+ number of minutes through *veintinueve*) to indicate time before the hour. Add *y cuarto* for a quarter past the hour, *y media* for half past the hour and *menos cuarto* for a quarter to the hour. Two additional useful expressions: *Es mediodía.* (It is noon) and *Es medianoche.* (It is midnight).

The expression A.M. is equivalent to *de la mañana* (in the morning) and P.M. is equivalent to *de la tarde* (in the afternoon) or to *de la noche* (at night).

7 **Write the indicated times using complete sentences.**

MODELO   P.M.   <u>Son las siete y veinte de la noche.</u>

1. A.M. _____

2. P.M. _____

3. P.M. _____

4. P.M. _____

5. A.M. _____

Capítulo 2

Lección A

Repaso rápido: subjects pronouns and the verb *ser*

Remember that the verb *ser* is one of two Spanish verbs that mean **to be**.

yo	**soy**	*I am*	nosotros/nosotras	**somos**	*we are*
tú	**eres**	*you are*	vosotros/vosotras	**sois**	*you are*
Ud.		*you are*	Uds.		*you are*
él	**es**	*he (it) is*	ellos	**son**	*they are*
ella		*she (it) is*	ellas		*they are*

The verb *ser* has several different uses. For example, we use it to express origin and profession:

¿De dónde eres tú?   Where are you from?
Soy de California.   I am from California.
Enrique es profesor.   Enrique is a teacher.

---

1 Write the subject pronoun that refers to the people listed above.

1. Roberto   _____

2. Susana   _____

3. Carlos y Carolina _____

4. tú y yo   _____

5. Miguel y tú   _____

6. Elena y Gloria   _____

7. Marta y Ud.   _____

2 Match the subject pronoun in the left column with the corresponding form of the verb *ser* in the right column.

1. _____ Uds.   A. soy

2. _____ tú   B. somos

3. _____ Felipe   C. son

4. _____ yo   D. eres

5. _____ ellos   E. es

6. _____ nostoros

3 Use the correct form of the verb *ser* to complete the sentences below.

1. Nosotros _____ estudiantes de español.

2. Isabel Allende _____ escritora. Ella

   _____ de Chile.

3. Yo _____ de los Estados Unidos. ¿De dónde

   _____ Uds.?

4. Tú _____ estudiante.

5. Jennifer López y Jimmy Smits _____ artistas.

4 Write three logical vocabulary words pertaining to your Spanish classroom for each category listed.

1. things on the wall

   _____

   _____

   _____

2. pieces of furniture

   _____

   _____

   _____

3. items you use to study

   _____

   _____

   _____

4. things that need electricity

   _____

   _____

   _____

Repaso rápido: using definite articles with nouns

Nouns refer to people, places, things or concepts. All nouns in Spanish are either masculine or feminine. A masculine noun is often preceded by the definite article *el* while a feminine article is often accompanied by the definite article *la*.

el chico	*la chica*
el cuaderno	*la nación*
el papel	*la posibilidad*

Nouns that end in a vowel in Spanish are made plural by adding *-s*. Nouns that end in a consonant are made plural by adding *-es*. With plural nouns the definite articles become *los* and *las*.

la clase	→	*las clases*
el bolígrafo	→	*los bolígrafos*
el profesor	→	*los profesores*
la presentación	→	*las presentaciones*

5 Write the appropriate definite article for each noun.

1. _____ profesora

2. _____ reloj

3. _____ libro

4. _____ pared

5. _____ puerta

6. _____ bolígrafo

7. _____ computadora

8. _____ televisor

6 Change each article and noun to the plural form.

    1. la puerta   _____

    2. el mapa   _____

    3. la estudiante   _____

    4. la pizarra   _____

    5. el pupitre   _____

7 Change each article and noun to the singular form.

    1. las profesoras   _____

    2. los libros   _____

    3. los papeles   _____

    4. las escuelas   _____

    5. las sillas   _____

Repaso rápido: using indefinite articles with nouns

You have already learned the definite articles *el, la, los* and *las*. Nouns also may be preceded by the indefinite articles *un* or *una* (**a, an, one**) or the plural indefinite articles *unos* or *unas* (**some, a few**).

    un chico → *una chica*   *unos libros* → *unas revistas*

---

8 In the left column write the appropriate indefinite article for each noun. Then write the plural form of both the indefinite article and the noun in the right column.

    1. _____ borrador   _____

    2. _____ puerta   _____

    3. _____ grabadora   _____

    4. _____ mapa   _____

    5. _____ periódico   _____

    6. _____ ventana   _____

Lección B

1 Find and circle five colors that are spelled out on the grid.

B	Y	Z	E	F	G	L
R	P	A	Z	U	L	C
O	T	P	O	I	M	V
J	N	E	G	R	O	E
O	P	O	Y	X	E	R
P	L	G	R	I	S	D
M	U	L	P	I	T	E

2 In the left column write the names of eight objects you find in your Spanish classroom. Then write the color of each item in the right column.

Objeto	**Color**
MODELO la pizarra	verde
1. _____	_____
2. _____	_____
3. _____	_____
4. _____	_____
5. _____	_____
6. _____	_____
7. _____	_____
8. _____	_____

3 Match each food or animal from the left column with its appropriate color(s).

Comidas y animales

1. _____ la banana
2. _____ el tomate
3. _____ el brócoli
4. _____ el elefante
5. _____ el pingüino

Colores

A. negro y blanco
B. verde
C. gris
D. rojo
E. amarillo

4 Put the days of the week in their correct order starting with Monday. Then indicate your preferences by numbering the days 1-7 with the number 1 corresponding to your favorite day.

| sábado | lunes | jueves | domingo |
| martes | miércoles | viernes | |

Día	Preferencia
1. _____	_____
2. _____	_____
3. _____	_____
4. _____	_____
5. _____	_____
6. _____	_____
7. _____	_____

5 For each day of the week write the Spanish names for your classes.

lunes	martes	miércoles	jueves	viernes

Repaso rápido: using adjectives to describe

An adjective describes a noun or pronoun. In Spanish, adjectives must match the gender (masculine or feminine) and number (singular or plural) of the nouns they modify. As shown below, adjectives that end in -o have four different forms while adjectives that end in other letters have two different forms.

un papel blanco	→	*unos papeles blancos*
una mesa blanca	→	*unas mesas blancas*
un libro verde	→	*unos libros verdes*
una mochila verde	→	*unas mochilas verdes*
un cuaderno azul	→	*unos cuadernos azules*
una silla azul	→	*unas sillas azules*

6 **Choose from the adjectives listed below to complete the following sentences in a logical fashion. Be sure that each adjective agrees with the noun that it modifies.**

rojo	tímido	negro	amarillo	gris
activo	inteligente	cómico	serio	azul
verde	honesto	importante	interesante	blanco

1. Yo soy _____.

2. El profesor/la profesora es _____.

3. Los estudiantes de español son _____.

4. El libro de español es _____.

5. La pizarra es _____.

6. Las computadoras son _____.

7. Las revistas son _____.

7 Put the names of six friends in the left column and then choose from the adjectives found in the previous activity to describe them. Be sure that each adjective agrees with the person it describes.

<table>
<tr><td></td><td>**Nombre**</td><td>**Descripción**</td></tr>
<tr><td>MODELO</td><td>Luisa</td><td>Luisa es activa.</td></tr>
<tr><td>1.</td><td>_____</td><td>_____</td></tr>
<tr><td>2.</td><td>_____</td><td>_____</td></tr>
<tr><td>3.</td><td>_____</td><td>_____</td></tr>
<tr><td>4.</td><td>_____</td><td>_____</td></tr>
<tr><td>5.</td><td>_____</td><td>_____</td></tr>
<tr><td>6.</td><td>_____</td><td>_____</td></tr>
</table>

8 Choose from the adjectives in the box and use the correct form of the verb *ser* to describe the classes listed below.

interesante   popular   importante   imposible   fantástico   complicado

1. La historia _____.

2. La biología _____.

3. Las matemáticas _____.

4. La música _____.

5. El arte _____.

Repaso rápido: present tense of *-ar* verbs

Verbs express an action or a state of being. The infinitive form of a verb in Spanish will end with *-ar, -er* or *-ir*. For example, *hablar* means to speak and *estudiar* means to study. To form the present tense of regular *-ar* verbs, remove the *-ar* ending and then attach the appropriate ending as shown below.

yo	habl**o**	nosotros nosotras	habl**amos**
tú	habl**as**	vosotros vosotras	habl**áis**
Ud. él ella	habl**a**	Uds. ellos ellas	habl**an**

9 **Choose the appropriate infinitive and then write the correct present-tense verb form to complete each sentence.**

estudiar	hablar	necesitar	terminar

1. Yo _____ un cuaderno nuevo.

2. Tú _____ mucho por teléfono.

3. Clara _____ arte y matemáticas.

4. Los estudiantes _____ las clases a las tres de la tarde.

5. Marcos _____ el libro de biología.

10 Complete the following sentences logically, using the correct present-tense forms of the verbs in parentheses and any additional words necessary.

> **MODELO**   Ellos llevan unos zapatos negros. (llevar)

1. Los estudiantes _____. (hablar)

2. La clase de español _____. (terminar)

3. Nosotros _____. (estudiar)

4. Los profesores _____. (necesitar)

Repaso rápido: *¿A qúe hora?*

¿A qué hora...? asks the time of a given event. To state when something takes place, use *es a la/las...*; to state when something ends, use *termina a la/las....*

---

11 Based on the classes you study, answer as many of the following questions as possible.

1. ¿A qué hora es la clase de español?

    _____

2. ¿A qué hora es la clase de educación física?

    _____

3. ¿A qué hora es la clase de inglés?

    _____

4. ¿A qué hora termina la clase de matemáticas?

    _____

5. ¿A qué hora termina la clase de biología?

    _____

6. ¿A qué hora termina la clase de música?

    _____

12 Your family has asked you to organize a new office in your home. List five basic supplies and five computer-related items that you will need.

Para la oficina necesito: **Para la computadora necesito:**

1. _____   _____

2. _____   _____

3. _____   _____

4. _____   _____

5. _____   _____

13 Write down four phone numbers you call regularly and spell them out. Then state with whom you speak in each instance.

MODELO   Número de teléfono: <u>7-52-31-16</u>

<u>siete, cincuenta y dos, treinta y uno, dieciséis</u>

Persona: <u>Hablo con Esteban.</u>

1. Número de teléfono: _____

_____

Persona: _____

2. Número de teléfono: _____

_____

Persona: _____

3. Número de teléfono: _____

_____

Persona: _____

4. Número de teléfono: _____

_____

Persona: _____

Repaso rápido: *estar*

The verb *estar* (to be) is irregular in the present tense.

yo	**estoy**	nosotros nosotras	**estamos**
tú	**estás**	vosotros vosotras	**estáis**
Ud. él ella	**está**	Uds. ellos ellas	**están**

As shown in the following examples, *estar* is used to express location and states of being or conditions.

¿Dónde está Cuernavaca?
Cuernavaca está en México.

¿Cómo está Ud.?
Estoy regular.

14 Say how you and others feel in the following locations by using the correct form of the verb *estar* and choosing from the following expressions: *muy bien, bien, regular, mal, muy mal.*

1. En la escuela yo _____.

2. En la clase de español nosotros _____.

3. En la clase de español el profesor/la profesora _____.

4. En la clase de matemáticas los estudiantes _____.

5. En una fiesta Rosa _____.

6. En la cafetería tú _____.

15 Use the correct form of the verb *estar* and your knowledge of the Spanish-speaking world to answer the following questions.

1. ¿Dónde está Barcelona?

   _____

2. ¿Dónde está San Juan?

   _____

3. ¿Dónde están Los Ángeles y San Diego?

   _____

4. ¿Dónde está Caracas?

   _____

5. ¿Dónde están Lima y Arequipa?

   _____

6. ¿Dónde está San José?

   _____

Capítulo 3

Lección A

1 **Find and circle six city locations that are spelled out in the grid.**

F	B	O	P	U	Y	Z	E
P	A	H	O	T	E	L	S
I	N	Z	T	U	P	B	C
F	C	I	N	E	P	N	U
Y	O	L	C	E	O	T	E
O	P	A	R	Q	U	E	L
P	O	C	Y	T	R	B	A
M	O	F	I	C	I	N	A

2 **Match each location in a city from the left column with a logical item in the right column.**

1. _____ el banco

2. _____ el restaurante

3. _____ el cine

4. _____ el hotel

5. _____ la escuela

6. _____ el médico

7. _____ la oficina

8. _____ la biblioteca

A. papeles y cuadernos

B. dólares y pesos

C. estudiantes y profesores

D. sandwiches

E. aspirina

F. actores famosos

G. turistas

H. libros

Repaso rápido: making introductions

Remember to use *te presento* to introduce someone informally and *le presento* when you want to be more formal. Use *les presento* to introduce two or more people.

> Ana, **te presento** a Javier.
> Sra. Marcos, **le presento** a Teresa.
> Manuel y Natalia, **les presento** a Pedro.

There are two contractions in Spanish that involve the direct article *el*: *a + el = al*; *de + el = del*. These contractions often are used when speaking about a man with a certain title:

> Nacho, te presento **al** señor Ramírez.
> Es el libro **del** profesor Sánchez.

but:

> Nacho, te presento a la señora Ramírez y **a los** señores López.
> El libro es **de la** profesora Iglesias.

When you are introduced to someone, there are several ways to respond. They include *Mucho gusto, Tanto gusto, El gusto es mío* and *Encantado/Encantada.*

3 Complete the following dialog in an informal manner.

RAFAEL: Carmen, (1)_____ presento a mi amigo Francisco.

CARMEN: (2)_____ gusto, Francisco.

FRANCISCO: (3)_____. ¿Cómo (4)_____?

CARMEN: Bien, gracias. ¿Y (5)_____?

FRANCISCO: Muy (6)_____, gracias.

4 **Complete the following dialog in a formal manner.**

PILAR: Sr. Durán, (1)_____ presento a María.

SR. DURÁN: Mucho (2)_____, María.

MARÍA: El gusto (3)_____ mío.

              ¿Cómo (4)_____ Ud.?

SR. DURÁN: Bien, gracias. ¿Y (5)_____?

MARÍA: (6)_____ bien.

5 **Complete each sentence in an appropriate fashion, choosing from the words *al, a la, a los, a las, del, de la, de los* and *de las*.**

1. La clase _____ profesora Torres es excelente.

2. Las clases _____ señor Mejía son interesantes.

3. Aquí están los papeles _____ señores Peralta.

4. Señora Donoso, le presento _____ profesor Gómez.

5. Susana, te presento _____ señora Ortiz.

6. Mercedes y Marta, les presento _____ señores Gómez.

Repaso rápido: asking questions

In addition to asking questions with interrogative words, it is important to be able to ask yes-no questions. There are several ways to do so in Spanish:

- Use a rising tone as you speak.   *¿Paco estudia español?*
- Place the subject after the verb.   *¿Está Paco en la clase?*
- Use the tag question *¿no?* or *¿verdad?*   *Paco estudia música, ¿verdad?*

6 **Change the following statements to questions by placing the subjects after the verbs and by using tag questions.**

MODELO Alejandro habla inglés y español.
¿Habla Alejandro inglés y español?
Alejandro habla inglés y español, ¿no?

1. Los estudiantes son de Bolivia.

   _____

   _____

2. Ellos están en la fiesta.

   _____

   _____

3. Lola tiene quince años.

   _____

   _____

4. Lola y Eduardo son muy activos.

   _____

   _____

5. Eduardo termina la clase a las tres.

   _____

   _____

7 **Complete the following questions by inserting the appropriate question words. Remember that all interrogative words require a written accent.**

1. ¿_____ te llamas?

2. ¿ De _____ eres?

3. ¿_____ años tienes?

4. ¿ _____ estás?

5. Hay muchas clases en la escuela. ¿_____ es una clase muy interesante?

6. ¿_____ estudiantes hay en la clase de español?

7. ¿A _____ hora es la clase de español?

8. ¿_____ está el profesor/la profesora de español?

9. ¿_____ es una persona famosa de México?

8 **In the preceding exercise you formulated nine questions. Now answer each question in a complete sentence.**

1. _____

2. _____

3. _____

4. _____

5. _____

6. _____

7. _____

8. _____

9. _____

9 **Fill in the missing question words in the following dialog.**

DIANA: ¡Hola Pablo! ¿(1)_____ estás?

PABLO: Muy bien, Diana. ¿Y tú?

DIANA: Bien. ¿A (2)_____ hora es la fiesta de Paco?

PABLO: La fiesta es mañana a las ocho.

DIANA: ¿(3)_____ está la casa de Paco?

PABLO: La casa está en el centro. ¿(4)_____ años tiene Paco?

DIANA: Quince. ¡Y mañana dieciséis!

PABLO: Bueno, hasta mañana.

DIANA: Adiós.

Repaso rápido: *ir*

The verb *ir* (to go) is irregular in the present tense. It is generally followed by the preposition *a* (or the contraction *al*) and a destination.

yo	**voy**	nosotros nosotras	**vamos**
tú	**vas**	vosotros vosotras	**vais**
Ud. él ella	**va**	Uds. ellos ellas	**van**

Yo voy a la fiesta y Luisa va a la oficina.
Marcos y Rosa van al restaurante.

10 **Form complete sentences with the information provided and adding any necessary words.**

MODELO   yo / ir / Puerto Rico / barco
<u>Yo voy a Puerto Rico en barco.</u>

1. Carlos / ir / escuela / carro

   _____

2. nosotros / ir / supermercado / autobús

   _____

3. tú / ir / cine / taxi

   _____

4. Tomás y Sofía / ir / biblioteca / pie

   _____

5. Ud. / ir / café / bicicleta

   _____

6. yo / ir / Chile / avión

   _____

11 Match each subject in the left column with the appropriate form of the verb *ir* in the right column.

1. _____ nosotros   A. vas

2. _____ Lola   B. voy

3. _____ Uds.   C. vamos

4. _____ yo   D. vais

5. _____ tú   E. va

6. _____ Ud.   F. van

12 Combine items from each column in order to write eight logical sentences. Remember that *a + el = al.*

yo		la clase
tú		la oficina
Ud.		el parque
Felipe	ir + a	el restaurante
Elena		la fiesta
nosotros		la escuela
los estudiantes		el banco
los profesores		el hotel

1. _____

2. _____

3. _____

4. _____

5. _____

6. _____

7. _____

8. _____

Lección B

1 Use the verb *ir* and the illustrations to say where the following people are going.

 MODELO   Yo <u>voy al centro</u>.

1.   Nosotros _____.

2.   Los chicos _____.

3.   Yo _____.

4.   Gloria _____.

5.   Tú _____.

6.   Ud. _____.

2 Match each location in a city from the left column with a logical item from the right column.

1. _____ el museo

2. _____ el restaurante mexicano

3. _____ la calle

4. _____ las tiendas

5. _____ el teatro

6. _____ el hospital

A. libros, televisores y más

B. enchiladas

C. médicos, pacientes, medicina

D. historia y arte

E. carros y autobuses

F. conciertos

Repaso rápido: *ir a* + infinitive

To say what is going to happen in the future, use the present tense of the verb *ir*, followed by *a* and an infinitive.

Yo voy a ser artista.   *Nosotros vamos a ir al teatro.*

---

3 Combine items from the columns to write statements about what is going to happen.

yo
tú
Claudia
Ud.
los profesores
María y yo

ir a

hablar por teléfono
caminar en el parque
estudiar en la biblioteca
ir al restaurante
tomar el autobús
ir en bicicleta por el parque

1. _____

2. _____

3. _____

4. _____

5. _____

6. _____

4 Imagine that you are planning a trip to different Spanish-speaking countries. Write five cities or countries you are going to visit and something you are going to do in each one.

MODELO   Voy a ir a México. En México voy a ir a los museos.

1. _____

2. _____

3. _____

4. _____

5. _____

5 Choose from the list of professions to make eight predictions about what you and your classmates are going to be in the future.

banquero/a	ingeniero/a	profesor(a)	dentista
médico/a	mecánico/a	intérprete	programador(a)
científico/a	sicólogo/a	astronauta	diplomático/a
artista	fotógrafo/a	recepcionista	político/a
agente de viajes	mujer de negocios	hombre de negocios	sociólogo/a

Nombre   **Futuro**

MODELO   Clara   Clara va a ser artista.

1. _____   _____

2. _____   _____

3. _____   _____

4. _____   _____

5. _____   _____

6. _____   _____

7. _____   _____

8. _____   _____

6 You have been asked to prepare the menu for two meals. Fill in the foods of your choice but do not list any item more than once.

Menú 1   Menú 2

- Entrada
  (*first course*)   _____   _____

- Plato principal   _____   _____
  (*main course*)

- Bebida
  (*beverage*)   _____   _____

Repaso rápido: present tense of -er verbs

To form the present tense of regular -er verbs, first remove the -er ending and then attach the endings that correspond to each of the subject pronouns.

yo	com**o**	nosotros nosotras	com**emos**
tú	com**es**	vosotros vosotras	com**éis**
Ud. él ella	com**e**	Uds. ellos ellas	com**en**

Remember that the verbs *hacer*, *ver* and *saber* are conjugated like *comer* except for the *yo* forms.

hacer	→	yo **hago**
ver	→	yo **veo**
saber	→	yo **sé**

7 Choose from the three infinitives in the box and then write the appropriate verb form to complete each sentence.

comer	comprender	leer

1. Las chicas _____ en el restaurante.

2. Nosotros _____ el periódico.

3. Tú _____ las matemáticas.

4. Yo _____ el libro de español.

5. Patricia _____ una ensalada verde.

6. Uds. _____ el problema.

7. Ud. _____ la revista.

8 **Answer the following questions about your food and beverage preferences.**

1. ¿Tomas agua mineral?

    _____

2. ¿Cómo se llama tu refresco favorito?

    _____

3. ¿Cómo se llama tu restaurante favorito?

    _____

4. ¿Qué comes en tu restaurante favorito?

    _____

5. ¿Cuál es tu comida favorita?

    _____

9 **Use the following questions to interview a classmate about his/her food and beverage preferences. When you are done you should be ready to report several pieces of information to the class.**

1. ¿Tomas jugo de naranja?

    _____

2. ¿Tomas agua mineral?

    _____

3. ¿Cómo se llama tu refresco favorito?

    _____

4. ¿Cómo se llama tu restaurante favorito?

    _____

5. ¿Qué comes en tu restaurante favorito?

    _____

6. ¿Cuál es tu comida favorita?

    _____

10 Friends often have much in common. Read each statement and then note that someone else does the same thing.

> MODELO David ve la televisión. (nosotros)
> <u>Nosotros vemos la televisión también.</u>

1. Marta sabe la información. (tú)

   _____

2. Roberto y Lupe hacen muchas preguntas. (yo)

   _____

3. Yo como pollo con mole. (nosotros)

   _____

4. Los estudiantes comprenden la situación. (Luisa)

   _____

5. Antonio ve el programa. (yo)

   _____

6. Pedro lee el periódico. (Carolina y Javier)

   _____

7. Ellos saben cuál es la capital de México. (yo)

   _____

11 **Answer the following personalized questions in complete sentences.**

1. ¿Qué revistas lees?

    _____

2. ¿Qué programas ves en la televisión?

    _____

3. ¿Qué tomas por la mañana?

    _____

4. ¿Qué comes en un restaurante mexicano?

    _____

5. ¿Sabes cuál es la capital de México?

    _____

6. ¿Haces muchas o pocas preguntas en clase?

    _____

Capítulo 4

Lección A

1 Complete each statement with the appropriate family member.

1. El hermano de mi madre es mi _____.

2. La madre de mi madre es mi _____.

3. La hija de mis tíos es mi _____.

4. La esposa de mi tío es mi _____.

5. El esposo de mi abuela es mi _____.

6. La hija de mis padres es mi _____.

2 In the left column put the names of six different relatives. Then explain the relationship of each one to you.

Pariente	Relación
MODELO Ana	Ana es mi hermana.
1. _____	_____
2. _____	_____
3. _____	_____
4. _____	_____
5. _____	_____
6. _____	_____

3 Answer the questions about the family tree.

María   Héctor
hijos

Graciela   Alberto
hijos

Ana   Héctor
hija única

Ramón   Susana
hijos

Andrés   Lola
hijos

Adela   Humberto   Hilda

Eduardo   Rosita   Carlos

1. ¿Cómo se llama el padre de Rosita?

   _____

2. ¿Cómo se llaman las abuelas de Humberto?

   _____

3. ¿Cómo se llama el hermano de Carlos?

   _____

4. ¿Cómo se llaman los tíos de Hilda?

   _____

5. ¿Cómo se llama el esposo de Ana?

   _____

6. ¿Cómo se llaman las primas de Humberto?

   _____

4 **Answer the following questions about your family in complete sentences.**

1. ¿Cuántos hermanos tienes?

   _____

2. ¿Cuántos primos tienes?

   _____

3. ¿Cuántos tíos tienes?

   _____

4. ¿Cuántas personas viven en tu casa? ¿Quiénes son?

   _____

   _____

5. ¿Quién es tu pariente favorito?

   _____

5 **Complete the following sentences with the correct form of the adjectives shown in parentheses. Pay special attention to the agreement of gender and number.**

1. Tengo _____ amigos. (mucho)

2. Mi hermana es _____. (divertido)

3. Nosotros estudiamos _____ los días. (todo)

4. Mis primos son _____. (popular)

5. Vivimos en una casa _____. (blanco)

6. Tengo una tía en Miami y _____ tía en San Diego. (otro)

7. Mis abuelas son muy _____. (cariñoso)

Repaso rápido: possessive adjectives

You can indicate possession by using the possessive adjectives. They precede the noun they modify and must agree in number and gender with that noun.

mi(s)	primo(s) prima(s)	**nuestro(s)** **nuestra(s)**	primo(s) prima(s)
tu(s)	hermano(s) hermana(s)	**vuestro(s)** **vuestra(s)**	hermano(s) hermana(s)
su(s)	tío(s) tía(s)	**su(s)**	tío(s) tía(s)
su(s)	tío(s) tía(s)	**su(s)**	tío(s) tía(s)
su(s)	tío(s) tía(s)		

Possessive adjectives have both singular and plural forms. In the following cases they also have different masculine and feminine forms: *nuestro/nuestra, nuestros/nuestras, vuestro/vuestra vuestros/vuestras.* Remember that the possessive adjective agrees with what is possessed, not the possessor.

Mis tíos viven en Puerto Rico.   My aunt and uncle live in Puerto Rico.
Su casa está en San Juan.   Their house is in San Juan.

6 **Provide the correct possessive adjective to complete each sentence.**

MODELO   Nosotros tenemos una casa bonita. <u>Nuestra</u> casa está en San Juan.

1. Yo tengo seis primos. _____ primos son interesantes.

2. Susana tiene una hermana. _____ hermana se llama Dolores.

3. Tú tienes una familia grande. _____ familia tiene ocho personas.

4. Las hermanas de Marcos son inteligentes. _____ hermana estudian mucho.

5. Uds. tienen una casa elegante. _____ casa es blanca y azul.

6. Nosotros tenemos muchos tíos. _____ tíos son divertidos.

Repaso rápido: present tense of *-ir* verbs

To form the present tense of regular *-ir* verbs, first remove the *-ir* ending and then attach the endings that correspond to each of the subject pronouns.

yo	viv**o**	nosotros nosotras	viv**imos**
tú	viv**es**	vosotros vosotras	viv**ís**
Ud. él ella	viv**e**	Uds. ellos ellas	viv**en**

Remember that the verb *salir* is regular in all forms except the first person singular: *Yo salgo.*

7 Rosa lives in the United States but has relatives in several other countries. Take the role of Rosa and combine information from the three columns to say where different people live.

yo
mi abuela María
mis primos Carlos y David
mi prima Susana   vivir en
mi tía Mercedes
mis padres y yo
mis tíos José y Carmen

Panamá
los Estados Unidos
España
Chile
Venezuela
Colombia
Bolivia

MODELO   Yo vivo en los Estados Unidos.

1. _____

2. _____

3. _____

4. _____

5. _____

6. _____

8 Take the role of Rosa to say at what time different people leave in the morning.

yo
mi abuela María   a las seis
mis primos Carlos y David   a las siete
mi prima Susana   salir   a las siete y media
mi tía Mercedes   a las ocho
mis padres y yo   a las ocho y cuarto
mis tíos José y Carmen

MODELO   <u>Mi abuela María sale a las siete.</u>

1. _____

2. _____

3. _____

4. _____

5. _____

6. _____

Repaso rápido: describing people and things with *estar*

The verb *estar* is used with adjectives to describe certain conditions or states
of being and to give observations at a given moment.

Francisco está nervioso.	Francisco is nervous.
Teresa está triste pero sus hermanos están contentos.	Teresa is sad but her brothers are happy.
Felipe está muy guapo hoy.	Felipe looks very nice today.

---

9 Say how the following people are feeling or looking today based on the information
provided. In each case you should use a form of the verb *estar* and an appropriate
adjective.

1. Marta tiene una temperatura de 102. Ella _____.

2. Clara y Ana tienen una "A" en sus exámenes. Ellas _____.

3. Tenemos tres exámenes importantes. Nosotros _____.

4. Mi abuela está enferma. Yo _____.

5. Natalia tiene una fiesta formal hoy. Ella _____.

10 Think of your house in a typical afternoon when you return home from school. Based on this image, complete the following sentences in a logical fashion by using the verb *estar* and adjectives from the box.

cerrado frío caliente limpio sucio libre

ocupado triste

contento abierto cansado apurado

1. La casa _____.

2. La puerta _____.

3. El teléfono _____.

4. Los refrescos _____.

5. Yo _____.

Lección B

1 Find and circle six activities that are spelled out in the grid.

C	O	P	I	N	S	T
O	N	A	D	A	R	M
M	D	V	O	I	R	I
P	O	E	L	E	A	R
R	Y	R	D	O	I	A
A	J	U	G	A	R	R
R	C	A	N	T	A	R

2 Match the activity in the left column with an item in the right column.

1. _____ jugar al béisbol   A. las clases

2. _____ cantar   B. el bate

3. _____ comprar   C. el programa

4. _____ jugar al tenis   D. la raqueta

5. _____ ver la televisión   E. el concierto

6. _____ hacer la tarea   F. las fotos

7. _____ mirar   G. la tienda

Repaso rápido: using *gustar* to state likes and dislikes

To express the idea of liking in Spanish use the verb *gustar*, which is similar to the English expression **to be pleasing**. The most commonly used forms of the verb *gustar* in the present tense are *gusta* and *gustan*.

Gusta is used with a singular noun or an infinitive while *gustan* is used with plural nouns. The indirect object pronoun that precedes the verb indicates who has a feeling of like. To make express dislike instead of like, put the word *no* before the indirect object pronoun.

me	*Me gusta el parque.*	I like the park.
te	*Te gusta la cafetería.*	You like the cafeteria.
nos	*Nos gusta el restaurante.*	We like the restaurant.

but:

No me gusta caminar en el parque.   I don't like to walk in the park.

The verb *gustar* may also be preceded by *le* or *les*. Use *le* when speaking to someone formally or when talking about what another person likes or dislikes. Use *les* when speaking to or about two or more people.

¿Le gusta jugar al béisbol?   Do you (*Ud.*) like to play baseball?

Les gustan las clases.   You (*Uds.*) like the classes.

3 Answer each of the following questions in order to express your likes and dislikes.

1. ¿Te gusta el béisbol?

_____

2. ¿Te gusta el básquetbol?

_____

3. ¿Te gustan los museos?

_____

4. ¿Te gustan los conciertos de rock?

_____

4 Choose from the following activities to write three statements about things you like to do and three statements about things you dislike.

comer en la cafetería   ir a restaurantes   leer el periódico
ver la televisión   estar en casa   tomar el autobús
salir con amigos   ir de compras   estudiar matemáticas

1. _____

2. _____

3. _____

4. _____

5. _____

6. _____

5 Friends often enjoy the same activities. Write six statements to explain what you and your friends like to do.

MODELO   Nos gusta ir de compras.

1. _____

2. _____

3. _____

4. _____

5. _____

6. _____

6 Write what the following people like or like to do, according to the cues. Follow the models.

MODELO   Pedro (tocar el piano)
             Le gusta tocar el piano.

             Jaime y Pilar (los libros de Stephen King)
             Les gustan los libros de Stephen King.

1. Rafael (jugar al tenis)

   _____

2. Marisol (los frijoles)

   _____

3. Tomás y Sofía (ver la televisión)

   _____

4. Samuel (el pescado)

   _____

5. Diego y Lyda (los refrescos de naranja)

   _____

Repaso rápido: using *a* to clarify or emphasize what you are saying

The phrases listed below can be added to a sentence with *gustar* for clarity or emphasis.

A mí me gusta nadar.
A ti te gusta nadar.
A Ud. le gusta nadar.
A él (a Pablo/al profesor) le gusta nadar.
A ella (a Teresa/a la profesora) le gusta nadar.

A nosotros (nosotras) nos gusta nadar.
A vosotros (vosotras) os gusta nadar.
A Uds. les gusta nadar.
A ellos (a Pablo y a Carlos) les gusta nadar.
A ellas (a Isabel y a Ana) les gusta nadar.

7 Combine words from each column to form seven original sentences.

a Ud.	me	gusta	hacer la tarea
a nosotros	te	gustan	ver la televisión
a mi amigo	le		ir en bicicleta
a mí	nos		la playa
a los profesores	les		los museos
a ti			las fotos
a mi tía			la escuela

1. _____

2. _____

3. _____

4. _____

5. _____

6. _____

7. _____

8 Use the cues to write six complete sentences.

> MODELO   nosotros / gustar / leer revistas
> A nosotros nos gusta leer revistas.

1. Uds. / gustar / oír la radio

   _____

2. Luisa / gustar / patinar sobre ruedas

   _____

3. tú / gustar / los conciertos de rock

   _____

4. Francisco / gustar / la comida mexicana

   _____

5. yo / gustar / las clases de música

   _____

6. nosotros / gustar / ir de compras

   _____

9 Answer the following questions about your likes/dislikes and those of your family members.

1. ¿Te gusta tocar el piano?

   _____

2. ¿A Uds. les gusta la música clásica?

   _____

3. ¿A quién le gusta la música rock?

   _____

4. ¿Te gusta jugar al tenis?

   _____

5. ¿A Uds. les gusta nadar?

   _____

10 Describe the following people. Use at least two adjectives per description.

1. yo

    _____

    _____

2. mi amigo/a favorito/a

    _____

    _____

3. mi profesor(a) favorito/a

    _____

    _____

4. mis amigos

    _____

    _____

5. mis primos

    _____

    _____

6. el presidente de los EE. UU. _____

    _____

11 Tomás and David are exact opposites. Read the descriptions of Tomás and then write statements about David.

MODELO   Tomás es alto.   David es bajo.

1. Tomás es bueno.   _____

2. Tomás es gordo.   _____

3. Tomás es inteligente. _____

4. Tomás es feo.   _____

5. Tomás es moreno.   _____

6. Tomás es divertido.   _____

Repaso rápido: *ser* vs. *estar*

You already have learned that the English verb **to be** has two equivalents in Spanish: *ser* and *estar*.

The uses of *ser* include the following:

- to express origin   *Ellas son de Puerto Rico.*
- to express a basic characteristic or trait   *Mi hermana es baja y delgada.*
- to give the location of an event   *El concierto es en el teatro.*

The uses of *estar* include the following:

- to express a temporary condition   *Estoy triste pero Susana está bien.*
  or state
- to give the location of someone or   *Alex está en su casa.*
  something   *Caracas está en Venezuela.*

12 Give the correct form of *ser* or *estar* to complete each sentence.

1. La Sra. Sosa _____ de la República Dominicana.

2. Su casa _____ en Santo Domingo pero ahora ella

   _____ en España con sus hijos.

3. Ella _____ inteligente y sus hijos _____ altos.

4. Sus hijos _____ contentos porque van a un concierto.

5. El concierto _____ en el parque.

13 Write a paragraph of at least four sentences to describe yourself. In your description include your name and information about your origin, likes and dislikes, personality and appearance.

_____

_____

_____

_____

Capítulo 5

Lección A

1 **Circle the things below that you have in your home. Then answer the corresponding questions for the items circled.**

1. el disco compacto   ¿Cuántos discos compactos tienes?

   _____

2. el quemador de CDs   ¿Está el quemador en tu computadora?

   _____

3. el estéreo   ¿Qué tipo de música te gusta?

   _____

4. los casetes   ¿Cuántos casetes tienes?

   _____

5. el DVD   ¿Cuántos DVDs tienes?

   _____

6. el reproductor de MP3 ¿Cuántas canciones tienes en MP3?

   _____

Repaso rápido: *tener*

The verb *tener* (to have) is an irregular verb in the present tense. In addition to showing ownership, *tener* is used in various expressions where the verb **to be** is used in English. One such expression you already have learned is *tener* (+ number) *años*, which is used to talk about age.

yo	**tengo**	nosotros nosotras	**tenemos**
tú	**tienes**	vosotros vosotras	**tenéis**
Ud. él ella	**tiene**	Uds. ellos ellas	**tienen**

2 Use the information provided to form complete sentences, adding any necessary words.

MODELO   Ud. / tener / reproductor de CDs
<u>Ud. tiene un reproductor de CDs.</u>

1. tú / tener / grabadora

_____

2. nosotros / tener / equipo de sonido

_____

3. Ud. / tener / discos compactos

_____

4. Alberto y Juan / tener / poco dinero

_____

5. yo / tener / reproductor de DVDs

_____

3 Combine items from each column to form complete sentences.

nosotros   una grabadora
tú   quince años
Uds.   un DVD
Marta   tener   un reproductor de MP3
yo   mucho dinero
mi abuela   dos hermanas
mis amigos   un equipo de sonido

1. _____

2. _____

3. _____

4. _____

5. _____

6. _____

7. _____

4 Answer each question in a complete sentence.

1. ¿Cuántos años tienes?

   _____

2. ¿Cuántos hermanos tienes?

   _____

3. ¿Tiene tu familia un reproductor de DVDs?

   _____

4. ¿Qué discos compactos tienen tus amigos?

   _____

5. ¿Tiene el profesor/la profesora discos compactos en la clase de español?

   _____

6. ¿Tienen Uds. muchos o pocos exámenes en la clase de español?

   _____

Repaso rápido: expressing strong feelings with ¡Qué (+noun)!

You have learned that the word *qué* can be combined with an adjective to form an exclamation, such as *¡Qué interesante!* It is also possible to combine the word *qué* with a noun to express strong feelings about a person, place or thing. For example, *¡Qué playa!* is the equivalent of **What a beach!**

5 **Six exclamations are listed below. For each one, put the name of a person/place/thing that, in your opinion, merits such praise.**

MODELO   ¡Qué ciudad!   <u>Barcelona</u>

1. ¡Qué película!   _____

2. ¡Qué actor!   _____

3. ¡Qué ciudad!   _____

4. ¡Qué música!   _____

5. ¡Qué cantante!   _____

6. ¡Qué restaurante!   _____

6 In this lesson you have learned about Costa Rica. Imagine that you are going to visit this Central American country in the near future. Use information from your textbook and other sources to say what you are going to do during your week in the land of the *ticos*.

MODELO El lunes voy a ver San José.
        El martes voy a ir al parque Braulio Carrillo.

Día	Actividades
el lunes	_____
	_____
el martes	_____
	_____
el miércoles	_____
	_____
el jueves	_____
	_____
el viernes	_____
	_____
el fin de semana (sábado y domingo)	_____
	_____

7 **Imagine that you have the following plans and obligations in the next week. Rank them in order of what you most enjoy with number 1 being your favorite activity. Then compare your ranking with that of a classmate.**

práctica de deportes _____

estudiar para un examen _____

montar en bicicleta _____

fiesta sorpresa _____

clase de piano _____

ir al cine _____

pasar tiempo con mi abuela _____

Repaso rápido: direct object pronouns

A direct object in a sentence is the person or thing that receives the action of the verb and answers the question **what?** or **whom?**

> They watch **the movie**.
> We see **Arturo**.

A direct object pronoun can be used to replace a direct object that was previously mentioned (They watch **it**. We see **him**). The direct object pronouns (*los pronombres de complemento directo*) include:

me	*me*	**nos**	*us*
te	*you* (tú)	**os**	*you* (vosotros,-as)
lo	*him, it, you* (Ud.)	**los**	*them, you* (Uds.)
la	*her, it, you* (Ud.)	**las**	*them, you* (Uds.)

The direct object pronouns *lo, la, los* and *las* can refer to people or objects. *Lo* can also refer to a nonspecific direct object, an idea or a phrase. To make a statement negative, place a negative word before the object pronoun.

In Spanish the word *a* precedes a direct object that refers to a person. For this reason it is called the *a personal.*

> *Veo **a** Ana pero no veo **a** la profesora.*

At times the word *a* will be combined with the definite article *el* to form *al.*

> *Veo **al** profesor pero no veo **a** los estudiantes.*

It is not necessary to use the *a personal* with the verb *tener.*

> *Andrés tiene seis primos.*

8 **Change the following sentences, using direct object pronouns instead of stating the direct objects.**

> MODELO Nosotros vemos a Carlos en la fiesta.
> <u>Nosotros lo vemos en la fiesta.</u>

1. Ud. ve la película en el cine.

   _____

   _____

2. Tú ves los programas en casa.

   _____

   _____

3. Yo tengo los discos compactos en el carro.

   _____

   _____

4. Ellos tienen el dinero en el banco.

   _____

   _____

9 The following questions ask about objects that you may see in your classroom. Answer each question in a complete sentence that includes a direct object pronoun.

1. ¿Ves el reloj?

   _____

2. ¿Ves la computadora?

   _____

3. ¿Ves el libro de español?

   _____

4. ¿Ven Uds. la ventana?

   _____

5. ¿Ven Uds. las revistas?

   _____

6. ¿Ven Uds. los mapas?

   _____

10 **Decide which of the following statements require the word *a* or *al.***

1. Vemos _____ la profesora en la clase.

2. Comprendo _____ el libro.

3. No me gusta ver _____ los programas de televisión.

4. Voy a ver _____ mis tíos el sábado.

5. Ella tiene _____ una hermana.

6. Toco _____ la guitarra.

7. Veo _____ profesor de historia.

11 **Answer the following questions about your Spanish class.**

1. ¿Tienes amigos en la clase?

   _____

2. ¿Ves a tus amigos ahora?

   _____

3. ¿Comprendes al profesor o a la profesora de español?

   _____

4. ¿Comprendes el libro de español?

   _____

5. ¿Ves programas en la clase?

   _____

6. ¿Ves a los actores en los programas?

   _____

Lección B

1 Find and circle six words related to the calendar that are spelled out on the grid.

E	L	G	G	Ó	T	F	S
M	A	Ñ	A	N	A	E	X
W	Y	N	H	I	Z	C	U
R	E	Q	O	V	O	H	Q
O	R	Í	Y	D	Í	A	O
A	N	T	E	A	Y	E	R
B	É	K	Z	Í	R	W	H

2 Answer the following questions in complete sentences.

1. ¿Qué día es hoy?

    _____

2. ¿Qué día es mañana?

    _____

3. ¿Qué día fue ayer?

    _____

4. ¿Cuáles son los días del fin de semana?

    _____

5. ¿Cuál es tu día favorito? ¿Por qué te gusta?

    _____

    _____

Repaso rápido: *venir*

In the preceding lesson you learned the verb t*ener*. The conjugation of the irregular verb *venir* (to come) is very similar to the conjugation of *tener* in the present tense.

yo	**vengo**	nosotros nosotras	**venimos**
tú	**vienes**	vosotros vosotras	**venís**
Ud. él ella	**viene**	Uds. ellos ellas	**vienen**

3 Match the subject in the left column with the correct verb form in the right column.

1. _____ Ud.   A. vengo

2. _____ Manuel y Alvaro   B. venís

3. _____ yo   C. vienen

4. _____ nosotros   D. venimos

5. _____ tú   E. viene

6. _____ Patricia   F. vienes

4 **Imagine that you will soon celebrate your birthday with a party. Say who is coming to the party by completing the following paragraph with the correct forms of the verb** *venir.*

Mañana es mi cumpleaños y vamos a tener una fiesta. Muchas personas

(1)_____ a la fiesta. Por ejemplo, mi abuela (2)_____ en

autobús y mis primos (3)_____ a pie. Mis padres y yo

(4)_____ en carro del supermercado porque tenemos la comida y los refrescos

Y tú, (5)_____ a la fiesta?

5 **Combine items from the three columns to say at what time different people come to school on a typical day.**

nosotros		a las 6:45
Uds.		a las 7:00
mis amigos		a las 7:15
los profesores	venir	a las 7:30
tú		a las 7:45
yo		a las 8:00
el profesor/		a las 8:15
la profesora de español		

1. _____

2. _____

3. _____

4. _____

5. _____

6. _____

7. _____

Repaso rápido: present tense to indicate the future

You have learned to express future plans with the pattern *ir* + *a* + infinitive. It is also possible to refer to the near future with the present tense of a verb as long as a future time expression is used or understood.

¿Tú vienes a la fiesta el viernes?   Are you coming to the party on Friday?
Sí, vengo a la fiesta.   Yes, I am coming to the party.
Mañana tengo seis clases.   Tomorrow I'll have six classes.

6 The following statements say what people are going to do in the next several days. Rewrite the statements to make them more immediate by using the present tense.

MODELO   Pilar va a tener una fiesta el sábado.
            <u>Pilar tiene una fiesta el sábado.</u>

1. Yo voy a escribir un e-mail mañana.

   _____

2. Ud. va a comer con su familia el sábado.

   _____

3. Carolina va a ir al cine el jueves.

   _____

4. Mis amigas van a bailar el domingo.

   _____

5. Mis amigos y yo vamos a hablar el viernes.

   _____

6. Tú vas a venir a la fiesta de Pilar el sábado.

   _____

7 Match each month in the left column with an event in the right column.

1. _____ febrero   A. el Día de la Madre

2. _____ julio   B. el Día de San Patricio

3. _____ noviembre   C. el Día de Año Nuevo

4. _____ marzo   D. el Día del Padre

5. _____ mayo   E. el Día de San Valentín

6. _____ enero   F. el Día de Acción de Gracias

7. _____ junio   G. el Día de Independencia de
                             los EE.UU.

8 Make a list in which you identify your six favorite months. Then note why they are your favorites.

Mes	**¿Por qué?**
1. _____	_____
2. _____	_____
3. _____	_____
4. _____	_____
5. _____	_____
6. _____	_____

9 Find and circle six months that are spelled out in the grid.

O	M	U	S	I	D	O	J
C	A	B	R	I	L	J	U
T	Y	E	N	E	R	O	N
U	O	C	I	T	E	A	I
B	F	E	B	R	E	R	O
R	O	N	T	B	I	N	E
E	T	R	O	S	I	C	O

Repaso rápido: using the numbers 101–999,999

Use *ciento* in place of *cien* for the numbers 101 to 199: *Tengo **cien** casetes y **ciento** veinte discos compactos.* The numbers from 200 to 999 have masculine and feminine forms that agree with the noun they describe: *Hay quinient**os** ochenta chic**os** y seiscient**as** cincuenta chicas en el colegio.* *Mil* (1,000) has only one form. Numbers beginning with mil are written with a period in Spanish instead of a comma: 1.000.

When the year is written in Spanish, it has no period. When it is spoken, it is read like any other four-digit number, **not** grouped two numbers at a time, as is done in English.

1926   =   mil novecientos veintiséis.

10 Complete each addition problem. Remember that numbers beginning with *mil* are written with a period in Spanish instead of a comma.

MODELO   2.000 + 5.500 =   <u>7.500</u>   <u>siete mil quinientos</u>

1. 6.300 + 3.200 =   _____   _____

2. 8.450 + 1.200 =   _____   _____

3. 50.000 + 25.000 =   _____   _____

4. 3.000 + 800.000 =   _____   _____

5. 200.000 + 750.000 =   _____   _____

6. 35.000 + 400.000 =   _____   _____

Repaso rápido: asking for and giving the date

Use the following pattern to give dates in Spanish: Form of *ser* + *el* + number for the day of month + *de* + month.

> *Es el 8 de julio.*
> *Es el 21 de febrero.*

Note: The word *primero* is used for the first day of the month instead of *uno*. The appropriate year may also be given by adding *de/del* to the pattern shown above.

> *Es el primero de marzo.*
> *Es el veinticuatro de septiembre de mil novecientos noventa y nueve.*
> *Es el ocho de octubre del dos mil.*

11 **For each item write the appropriate date in Spanish.**

1. mi cumpleaños

   _____

2. la Navidad

   _____

3. el Día de San Patricio

   _____

4. el Día de Independencia de los EE.UU.

   _____

5. el Día de Año Nuevo

   _____

6. hoy

   _____

12 In the left column write six events that your family celebrates each year. Then write the corresponding dates in the right column.

	Ocasión	Fecha
1.	_____	_____
2.	_____	_____
3.	_____	_____
4.	_____	_____
5.	_____	_____
6.	_____	_____

13 Write out the following years.

1. 711 _____
2. 1492 _____
3. 1789 _____
4. 1814 _____
5. 1898 _____
6. 1939 _____
7. 1975 _____
8. 2006 _____

Capítulo 6

Lección A

1 The letters of the following kitchen items are in the wrong order. Put them in the correct order in order to spell each word correctly.

1. soav   _____

2. sopltavaal   _____

3. msae   _____

4. esfatu   _____

5. viastellres   _____

6. gaderfreo   _____

7. malpaár   _____

8. zlu   _____

9. dorargeirfre   _____

> ## Repaso rápido: expressing obligations with *tener que* and *deber*
> The expressions *tener que* and *deber* are followed by an infinitive and have similar uses. *Tener que* states a need to do something while *deber* implies more of a moral obligation or what someone should do.

2 Use *tener que* to write a list of six things you and other family members need to do this week.

> MODELO   Mi hermana tiene que estudiar para un examen.

1. _____

2. _____

3. _____

4. _____

5. _____

6. _____

3 Use *deber* to write a list of six things you and other family members should do this week.

> MODELO   Yo debo hablar con mi abuelo.

1. _____

2. _____

3. _____

4. _____

5. _____

6. _____

Repaso rápido: stem changing verbs (e → ie)

Some verbs require the spelling change *e → ie* in all forms of the present tense except for *nosotros* and *vosotros*. Such verbs include *pensar (ie)*, *cerrar (ie)*, *empezar (ie)*, *encender* (ie), *preferir (ie)*, *querer (ie)* and *sentir(ie)*.

yo	**pi**enso	nosotros nosotras	pensamos
tú	**pi**ensas	vosotros vosotras	pensáis
Ud. él ella	**pi**ensa	Uds. ellos ellas	**pi**ensan

The verbs *tener* and *venir* also have this change except for the irregular *yo* forms (*tengo, vengo*).

> *¿Qué piensa Ud.?*
> *¿Cuántos años tienes?*
> *¿Viene Jaime a la fiesta?*
> *Prefiero la bicicleta verde.*
> *Ellos quieren comer a las dos.*

The verb *pensar* has several uses when combined with other words.

When followed by an infinitive, *pensar* indicates what someone plans to do.

> *Jorge* **piensa ir** *de compras.*

When combined with *en*, *pensar* indicates whom or what someone is thinking about.

> *¿En qué piensas?*
> *Pienso en mi familia.*

Pensar can be combined with *de* to ask for an opinion. In response to such a question, *pensar* is used with *que*.

> *¿Qué piensas de la clase de música?*
> *Pienso que es excelente.*

4 Choose a logical verb from the box and provide its correct form to complete each sentence.

| cerrar | encender | preferir | empezar | pensar |

1. Marisol _____ la luz en la cocina.

2. Su madre _____ la puerta de la casa.

3. Marisol y su madre _____ a cocinar.

4. Su familia y yo _____ comer a la una
   y media.

5. Yo _____ comer arepas.

5 Combine items from the three columns to form logical sentences.

nosotros	pensar	ayudar en la cocina
Jorge	querer	viajar a Venezuela
Luis y Ana	preferir	poner la mesa
yo		comer poco
mis amigos y yo		comer mucho
tú		ayudar en la casa

1. _____

2. _____

3. _____

4. _____

5. _____

6. _____

6 **Friends are often very similar. Show this by rewriting the following statements as shown in the model.**

> MODELO   Prefiero estudiar en casa.
> <u>Preferimos estudiar en casa también.</u>

1. Quiero ayudar en la cocina.

_____

_____

2. Pienso ver una película el sábado.

_____

_____

3. Empiezo a hacer la tarea a las siete.

_____

_____

4. Cierro la puerta de la cocina.

_____

_____

5. Enciendo la luz de la cocina.

_____

_____

6. Tengo que ayudar en la casa.

_____

_____

7 Answer each question in a complete sentence.

1. ¿A qué hora empieza la escuela?

   _____

   _____

2. ¿A qué hora empieza la clase de español?

   _____

   _____

3. ¿Prefieres la clase de historia o la clase de matemáticas?

   _____

   _____

4. ¿Piensas estudiar el domingo?

   _____

   _____

5. ¿Dónde quieres vivir en el futuro?

   _____

   _____

6. ¿Qué quieres ser en el futuro?

   _____

   _____

8 Combine elements from the three columns to say what different people plan or intend to do next weekend.

yo		ayudar en la casa
tú		ir de compras
mi amiga		estudiar mucho
mi hermano	pensar	montar en bicicleta
mis amigos y yo		caminar en el parque
mis amigas		ir al centro
Uds.		tener una fiesta

1. _____

2. _____

3. _____

4. _____

5. _____

6. _____

7. _____

9 Answer each question in a logical fashion.

1. ¿Qué piensas hacer el sábado?

   _____

2. ¿Qué piensas hacer el domingo?

   _____

3. ¿Dónde piensas vivir en el futuro?

   _____

4. ¿En qué o quién piensas mucho?

   _____

5. ¿Qué piensas de la clase de matemáticas?

   _____

10 Complete each sentence to say what items you have on the dinner table.

MODELO   Para la mantequilla tengo <u>un cuchillo.</u>

1. Para la sopa tengo _____.

2. Para el agua tengo _____.

3. Para el café tengo _____.

4. Para la ensalada tengo _____.

5. Para el pollo tengo _____ y _____.

6. La comida está en _____.

11 Certain foods, beverages and events often go together. Match items from the two columns to show such combinations.

1. _____ la sal   A. la mantequilla

2. _____ el pan   B. el cumpleaños

3. _____ el aceite   C. la pimienta

4. _____ el azúcar   D. el café

5. _____ el postre   E. el vinagre

6. _____ la naranja   F. el jugo

12 Find and circle six words that are spelled out in the grid.

I	P	O	V	M	E	C	A	T	E	L	I
U	O	P	I	M	T	A	Z	A	Q	U	E
P	S	J	N	U	Q	M	A	N	T	E	L
N	T	X	A	X	J	U	N	O	M	C	O
W	R	L	G	H	A	P	I	R	T	E	L
C	E	C	R	S	O	P	A	U	I	T	O
V	Y	E	E	L	I	N	T	E	S	A	L

Repaso rápido: demonstrative adjectives

Demonstrative adjectives can be placed before a noun to indicate where someone or something is located in relation to yourself. Demonstrative adjectives must agree in gender and number with the nouns they modify.

singular		plural	
masculino	**femenino**	**masculino**	**femenino**
este	esta	estos	estas
ese	esa	esos	esas
aquel	aquella	aquellos	aquellas

To point out people or objects that are near to you, use *este, esta, estos* or *estas* (this/these).

> *Este postre es muy bueno.*
> *Estos vasos son bonitos.*

To refer to people or objects that are farther away, use *ese, esa, esos* or *esas* (that/those).

> *Esa cocina es muy grande.*
> *Esas casas son nuevas.*

To call attention to people or objects that are even farther away, use *aquel, aquella, aquellos* or *aquellas* (that/those over there).

> *Aquel restaurante es muy elegante.*
> *Aquellas personas son de Caracas.*

13 Fill in the blanks with the missing demonstrative adjectives and nouns.

	Singular	**Plural**
1.	esta lámpara	_____
2.	_____	aquellos chicos
3.	_____	esas tiendas
4.	aquella casa	_____
5.	_____	estos platos
6.	ese tenedor	_____
7.	este refrigerador	_____
8.	_____	esos vasos
9.	esa mesa	_____
10.	aquel restaurante	_____

Lección B

1 **Match the part of a house in the left column with an item in the right column.**

1. _____ la cocina

2. _____ la sala

3. _____ el garaje

4. _____ el patio

5. _____ el comedor

6. _____ el baño

A. el carro

B. el televisor y el sofá

C. las plantas

D. la comida

E. el champú

F. el refrigerador

2 **Complete the following sentences in a logical fashion in order to describe your home.**

1. Mi casa está _____.

2. Mi casa es _____.

3. La cocina tiene _____.

4. En la sala me gusta _____.

5. El garaje tiene _____.

6. En mi cuarto me gusta _____.

7. En el comedor nosotros _____.

3 In the space below draw a floor plan of your home. Be sure to include and label each room.

4 Write seven statements about your home to accompany the drawing you completed in the previous activity.

1. _____

2. _____

3. _____

4. _____

5. _____

6. _____

7. _____

Repaso rápido: *decir*

The present tense of the verb *decir* has an irregular *yo* form and a stem change for all forms except *nosotros/as* and *vosotros/as*. *Decir* is used to report what is said.

yo	**digo**	nosotros nosotras	decimos
tú	dices	vosotros vosotras	decís
Ud. él ella	dice	Uds. ellos ellas	dicen

Manuel dice que el restaurante es muy bueno.
Ellos dicen que van a viajar a Colombia.

As shown in the preceding examples, it is necessary to put *que* after the verb *decir* when you summarize what someone says.

5 **Use the information provided to form logical sentences.**

1. Marisol/decir/Jorge/estar contento

   _____

2. yo/decir/la clase/ser interesante

   _____

3. nosotros/decir/la casa/ser bonito

   _____

4. tú/decir/la comida/ser bueno

   _____

5. Marisol y Jorge/decir/Cartagena/ser grande

   _____

Repaso rápido: expressing wishes with *querer* or *gustaría*

To express wishes use either *quiero* + (**infinitive**) or the more polite *me gustaría* (+ **infinitive**).

Quiero ir a Venezuela. I want to go to Venezuela.
Me gustaría ir a Venezuela. I would like to go to Venezuela.

---

6 Complete each sentence in a logical fashion by writing four statements about yourself and four statements about a good friend.

1. Me gustaría viajar _____.

2. Me gustaría tener _____.

3. Quiero ir _____.

4. Quiero comprar _____.

5. Le gustaría viajar _____.

6. Le gustaría tener _____.

7. Quiere ir _____.

8. Quiere comprar _____.

7 Match the feeling in the left column with the action in the right column.

1. _____ tengo hambre   A. nado en la piscina

2. _____ tengo sed   B. tomo agua

3. _____ tengo prisa   C. como mucho

4. _____ tengo frío   D. corro a la escuela

5. _____ tengo ganas de caminar   E. voy al parque

6. _____ tengo calor   F. tomo chocolate caliente

8 Complete the crossword puzzle with the appropriate *tener* expressions.

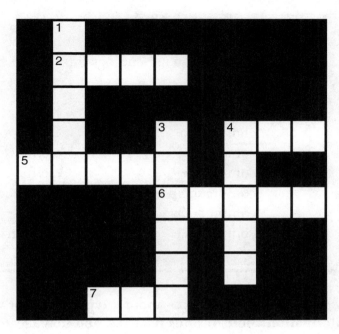

Across

2. quince
4. tomo un refresco
5. corro a mi casa
6. estoy en un accidente
7. debo

Down

1. en el verano hace 90 grados F.
3. quiero comer
4. estoy en mi cuarto por la noche

Repaso rápido: regular present-tense verbs

You have studied many regular verbs and some verbs that have spelling changes or irregular forms. The present-tense endings for most verbs are summarized below.

cantar	comprender	escribir
canto	comprendo	escribo
cantas	comprendes	escribes
canta	comprende	escribe
cantamos	comprendemos	escribimos
cantáis	comprendéis	escribís
cantan	comprenden	escriben

9 Write a paragraph of seven to eight sentences about a typical day for you and your family. Be sure to include information about various relatives. You may create an imaginary family if you wish.

_____

_____

_____

_____

_____

_____

_____

_____

_____

_____

_____

_____

Repaso rápido: stem-changing verbs (e → i)

Some verbs in Spanish require the spelling change *e → i* in all forms of the present tense except for *nosotros* and *vosotros*. Two examples are *pedir (i, i)* and *repetir (i, i)*. With the exception of its irregular *yo* form *(digo)*, the verb *decir* also follows this pattern.

yo	pido	nosotros nosotras	pedimos
tú	pides	vosotros vosotras	pedís
Ud. él ella	pide	Uds. ellos ellas	piden

Preguntar means "to ask a question," as does *hacer una pregunta*. *Pedir* means "to ask for, to request or to order (in a restaurant)." Other expressions with *pedir* include *pedir permiso* (to ask for permission), *pedir perdón* (to excuse oneself or ask forgiveness) and *pedir prestado/a* (to borrow).

10 Choose from the three verbs below and then write the correct form to complete each sentence.

pedir   repetir   decir

1. Mi padre _____ ayuda en la cocina.

2. Mi madre y mi padre _____ que vamos a comer a las seis.

3. Mi hermano habla mucho. Él _____ sus ideas.

4. En clase nosotros _____ las expresiones.

5. En el restaurante yo _____ un refresco.

6. No te gustan las mentiras. Tú siempre _____ la verdad.

11 Complete each sentence with the correct form of *pedir* or *preguntar*.

1. Juan siempre _____ ayuda a sus padres.

2. No sé dónde está la tienda. Por eso yo _____.

3. Luis y Ana _____ permiso para usar el carro de su abuelo.

4. Mi amigo no tiene reloj y siempre _____ qué hora es.

5. Cuando hay problemas, nosotros _____ perdón.

6. ¿Quién es ese chico? Voy a _____ cómo se llama.

12 Say what you do in each of the following situations.

1. No tengo dinero para ir al cine.

   _____

2. Digo una mentira muy mala.

   _____

3. Quiero usar el carro de mi hermana.

   _____

4. Tengo problemas en la clase de matemáticas.

   _____

5. No sé cuál es el número de teléfono de Pablo.

   _____

Capítulo 7

Lección A

1 **Answer each question in a complete sentence.**

1. ¿Te gusta ver la televisión?

   _____

2. ¿Te gustan las telenovelas?

   _____

3. ¿Qué programa te gusta mucho?

   _____

4. ¿A qué hora ves tu programa favorito?

   _____

5. En tu opinión, ¿quién es un actor muy bueno?

   _____

6. En tu opinión, ¿quién es una cantante excelente?

   _____

7. ¿Vas a ver la televisión esta noche? ¿Qué programa vas a ver?

   _____

   _____

2 Rank the following activities in your order of preference with number 1 being your favorite activity. Then write three statements with the verb *gustar* to summarize your likes and dislikes.

	Actividad	Clasificación
1.	jugar al ajedrez	_____
2.	jugar a las damas	_____
3.	jugar al básquetbol	_____
4.	jugar al fútbol americano	_____
5.	jugar a las maquinitas	_____
6.	dibujar	_____
7.	hacer aeróbicos	_____
8.	leer el periódico	_____

MODELO   Me gusta mucho jugar al básquetbol.

1. _____

2. _____

3. _____

3 Combine items from each column to form logical sentences.

a veces	yo	jugar a las cartas
muchas veces	tú	dibujar
una vez al día	mi amiga	jugar a las maquinitas
todos los días	mi abuela	leer el periódico
(casi) nunca	nosotros	hacer aeróbicos
(casi) siempre	mis amigos	jugar al ajedrez

1. _____

2. _____

3. _____

4. _____

5. _____

Repaso rápido: stem-changing verbs (o → ue and u → ue)

You already have learned that some verbs require a stem change (*e → ie* or *e → i*) in all forms of the present tense except *nosotros* and *vosotros*. Similarly, certain verbs have the change *o → ue* or *u → ue* in all present-tense forms except *nosotros* and *vosotros*. Two examples are *poder (ue)* and *jugar (ue)*.

poder		**jugar**	
pue do	podemos	jue go	jugamos
pue des	podéis	jue gas	jugáis
pue de	pue den	jue ga	jue gan

Yo juego al tenis y mi hermana juega al fútbol.
No puedo ir al partido el sábado.

Other verbs that require the *o → ue* stem change include *costar (ue)*, *recordar (ue)* and *volver (ue)*.

4 **Choose the appropriate verb from the list and provide the correct form to complete each sentence.**

jugar   poder   costar   recordar   volver

1. Nosotros _____ al béisbol los sábados.

2. ¿_____ tú el número de teléfono de Rosa?

3. ¿Cuánto _____ un televisor nuevo?

4. Mis amigos _____ a casa a las cuatro.

5. María _____ cantar muy bien.

6. Yo _____ ir al partido.

7. Necesitamos estudiar más. Por eso nosotros _____ a la biblioteca.

8. Los carros _____ mucho dinero.

9. Tú _____ muy bien al volibol.

10. Carlos tiene dinero y por eso él _____ ir de compras.

5 Combine items from each column to form logical sentences.

nosotros		ir al partido
tú		ir a la fiesta
yo		salir esta noche
mis amigos	(no) poder	jugar al golf el sábado
Felipe		ver una película esta noche
Ud.		comprar una bicicleta nueva
Uds.		viajar a la Argentina

1. _____

2. _____

3. _____

4. _____

5. _____

6. _____

7. _____

6 The members of José's family get home at different times in the afternoon/evening. Take the role of José to report when people return.

MODELO   Emilia / volver / las siete
<u>Emilia vuelve a las siete.</u>

1. Laura y yo / volver / las cinco

_____

2. mi padre / volver / las seis

_____

3. mis hermanas / volver / las cinco y media

_____

4. yo / volver / las cinco

_____

5. tú / volver / las ocho

_____

7 Draw a line matching the items in the left columns with the numbers in the right column. Then write the appropriate unit of time next to each number, as shown in the model.

MODELO	hora ——————— 60	minutos
1.	semana	100	_____
2.	año	15	_____
3.	minuto	31	_____
4.	siglo	7	_____
5.	el mes de julio	30	_____
6.	cuarto de hora	24	_____
7.	media hora	365	_____
8.	día	60	_____

8 Write sentences to explain your activities and plans in relation to each of the following time references.

MODELO   la semana que viene
La semana que viene voy a ir de compras.

1. hoy por la tarde

_____

2. esta noche

_____

3. mañana por la mañana

_____

4. la semana que viene

_____

5. en junio

_____

Repaso rápido: expressions with *hace*

Use the following pattern to describe an action that began in the past and continues in the present: *hace* + a time expression + *que* + the present tense of a verb.

Hace dos horas que estamos en casa.	We have been at home for two hours.
Hace tres años que Héctor estudia música.	Héctor has been studying music for three years.

The order of *hace* and the time expression is reversed to form a question beginning with *¿cuánto?*

¿Cuánto tiempo hace que estudias español?	How long have you been studying Spanish?
¿Cuánto tiempo hace que viven Uds. aquí?	How long have you lived here?

9 Tell how long the following activities have been taking place.

MODELO   yo / jugar al volibol / dos años
Hace dos años que juego al volibol.

1. nosotros / vivir aquí / cinco años

_____

2. mi hermana / hacer aeróbicos / una hora

_____

3. mis amigos / jugar al básquetbol / cuatro años

_____

4. tú / estudiar biología / un año

_____

5. Ud. / jugar al ajedrez / tres años

_____

10 **Answer the following questions to say how long you have done or had certain things.**

1. ¿Cuánto tiempo hace que vives en esta ciudad?

_____

_____

2. ¿Cuánto tiempo hace que estudias en este colegio?

_____

_____

3. ¿Cuánto tiempo hace que estudias español?

_____

_____

4. ¿Cuánto tiempo hace que juegas tu deporte favorito?

_____

_____

5. ¿Cuánto tiempo hace que escribes correo electrónico?

_____

_____

6. ¿Cuánto tiempo hace que tienes tu bicicleta?

_____

_____

Repaso rápido: present progressive

The *presente progresivo* is used to say what is happening right now. It is formed by combining the present tense of the verb *estar (estoy, estás, está, estamos, estáis, están)* with a present participle *(gerundio)*.

Pilar está alquilando una película.   Pilar is renting a movie.
José y yo estamos viendo un partido.   José and I are watching a game.

To form the present participle of most verbs in Spanish, change the infinitive endings to and o for an ar verb or iendo for an er or ir verb.

jug**ar**	→	jug**ando**	corr**er** →	corr**iendo**	viv**ir**	→	viv**iendo**
cant**ar**	→	cant**ando**	pon**er** →	pon**iendo**	cumpl**ir**	→	cumpl**iendo**
pens**ar**	→	pens**ando**	com**er** →	com**iendo**	sal**ir**	→	sal**iendo**

Some ir verbs that have a stem change in the present tense have a different stem change in the present participle. The second change is shown in parentheses after the infinitives.

verbo	presente (yo)	gerundio
dormir (ue, u)	duermo	durmiendo
preferir (ie, i)	prefiero	prefiriendo
sentir (ie, i) siento	sintiendo	
venir (ie, i) vengo	viniendo	

Note also the following spelling changes in the present participle:

pedir (i, i)	→	pidiendo	oír	→	oyendo
repetir (i, i)	→	repitiendo	ir	→	yendo
leer	→	leyendo	poder	→	pudiendo

11 **Combine items from each column to say what different people are doing right now.**

nosotros		ver la televisión
la profesora		jugar al fútbol
mis amigos		estudiar en el colegio
mi abuelo	estar	escribir en clase
yo		hablar por teléfono
tú		hacer aeróbicos
Ud.		tocar el piano

1. _____

2. _____

3. _____

4. _____

5. _____

6. _____

7. _____

12 Think of different people and what they are doing now. Write ten different names in the left column and then say what each person is doing in the right column.

	Nombre	**Actividad**
MODELO	Clara	Clara está jugando con sus amigos.
1.	_____	_____
2.	_____	_____
3.	_____	_____
4.	_____	_____
5.	_____	_____
6.	_____	_____
7.	_____	_____
8.	_____	_____
9.	_____	_____
10.	_____	_____

13 Use the cues to form complete statements about what different people are doing right now.

1. mi hermano / dormir en el sofá

   _____

2. Luis y Ana / oír la radio

   _____

3. yo / pensar en las vacaciones

   _____

4. tú / leer el periódico

   _____

5. nosotros / pedir / la comida

   _____

6. Uds. / repetir / la información

   _____

Nombre: _____ Fecha: _____

Repaso rápido: using the present progressive with direct object pronouns

As you have learned, direct object pronouns usually precede conjugated verbs. However, direct object pronouns also may be attached to the end of an infinitive or to the end of a present participle.

La voy a escribir.
Voy a escribirla.　　I am going to finish **it**. (the composition)

Lo estamos viendo.
Estamos viéndolo.　　We are watching **it**. (the program)

Note that when a direct object pronoun is attached to a present participle it is necessary to add an accent mark in order to maintain the original pronunciation of the present participle.

Estoy comprándolo.　　I am buying it. (the book)

---

14 Answer each question affirmatively in two different ways.

MODELO　¿Estás alquilando la película?
Sí, la estoy alquilando.
Sí, estoy alquilándola.

1. ¿Estás viendo la película?

_____

_____

2. ¿Estás comprando los refrescos?

_____

_____

3. ¿Estás leyendo el periódico?

_____

_____

4. ¿Están Uds. pidiendo la comida?

_____

_____

Lección B

1 Complete the crossword puzzle with words corresponding to seasons, weather and outdoor activities.

Across

1. caminar
4. temperaturas altas
6. junio, julio y agosto
7. sobre ruedas o hielo

Down

1. marzo, abril y mayo
2. es de color amarillo
3. septiembre, octubre y noviembre
5. agua

2 **Answer each questions based on where you live.**

1. ¿Qué tiempo hace en el verano?

   _____

2. ¿Qué tiempo hace en el invierno?

   _____

3. ¿Qué tiempo hace en la primavera?

   _____

4. ¿Qué tiempo hace en el otoño?

   _____

5. ¿Cuál es tu estación favorita? ¿Por qué te gusta?

   _____

   _____

6. ¿Qué te gusta hacer en el verano?

   _____

   _____

7. ¿Prefieres patinar o esquiar? ¿Por qué?

   _____

   _____

Repaso rápido: verbs that require special accentuation

You have learned that certain words in Spanish require a written accent mark. For example, some verbs that end in *-uar* or *-iar* require a written accent mark for all present-tense forms except *nosotros*. Such verbs include *esquiar, enviar* and *continuar* but not *copiar*.

yo esquío	*nosotros esquiamos*
yo envío	*nosotros enviamos*
yo continúo	*nosotros continuamos*

but:

yo copio	*nosotros copiamos*

3 **Combine information from the three columns to write complete sentences. Pay special attention to verb forms that require written accents.**

tú		una carta a Chile
mis amigos	esquiar	el número de teléfono
nosotros	enviar	en las montañas
yo	continuar	la competencia
Carlos	copiar	la información
Luisa y yo		el fax
Ud.		por la mañana

1. _____

2. _____

3. _____

4. _____

5. _____

6. _____

7. _____

Repaso rápido: present tense of *dar* and *poner*

You have learned several verbs that are regular in the present tense except for their *yo* forms (*hago, sé, veo, salgo*). The verbs *dar* and *poner* also have irregular *yo* forms.

dar		**poner**	
doy	damos	**pongo**	ponemos
das	dais	pones	ponéis
da	dan	pone	ponen

Mis padres dan un paseo por la tarde.
Yo doy un paseo por la mañana.

Paco pone los platos en la cocina.
Yo pongo el pastel en la mesa.

4 Give the correct present-tense form of *poner* to complete each sentence.

1. Yo _____ la radio todos los días.

2. Mónica y Laura _____ la televisión para ver la telenovela.

3. Javier y yo _____ música salsa en las fiestas.

4. Don Roberto siempre _____ música clásica en el carro.

5. Margarita _____ la mesa todos los días para la comida.

6. Ramón y Arturo _____ los platos en el fregadero después de la comida.

7. ¿Qué música _____ tú cuando vas en carro?

5 There is a charity event at your school to help students in need. Write complete sentences to say what each person gives for charity, according to the cues. Follow the model.

MODELO   Pedro
Pedro da tres reglas.

1. Alberto

_____

2. la profesora Martínez

_____

3. Maritza y yo

_____

4. Rosa y Mario

_____

5. Jorge y Alfredo

_____

6. yo

_____

7. tú

_____

6 Find and circle seven weather expressions in the grid.

```
P  F  O  P  Í  L  J  M  E  Á  Z  L
W  R  V  I  E  N  T  O  U  L  F  L
P  Í  U  C  E  Q  W  I  M  L  R  O
L  O  T  U  S  O  L  O  P  Í  E  V
N  E  V  A  R  U  T  I  P  O  S  E
G  R  I  M  I  L  É  T  I  H  C  R
L  T  É  B  P  M  A  N  A  P  O  D
L  T  E  M  P  E  R  A  T  U  R  A
```

7 Answer the questions to describe the weather where you live at different times of the year.

1. ¿Qué tiempo hace en abril?

_____

2. ¿Qué tiempo hace en agosto?

_____

3. ¿Qué tiempo hace en octubre?

_____

4. ¿Qué tiempo hace en enero?

_____

5. ¿En qué mes hace mal tiempo?

_____

6. ¿En qué mes hace buen tiempo?

_____

8 Write a paragraph of five to six sentences about your favorite season of the year. Be sure to include the following information: the name of the season, the typical weather, the outdoor activities you enjoy and why you prefer this season over the others.

_____

_____

_____

_____

_____

_____

_____

_____

9 For each weather condition listed, state an outdoor or indoor activity that you enjoy.

> MODELO   Está nevando.
> Me gusta esquiar.

1. Hace sol y calor.

   _____

2. Hace fresco y llueve.

   _____

3. Hace buen tiempo.

   _____

4. Hace viento y hace un poco de calor.

   _____

5. Hace mucho frío.

   _____

Repaso rápido: describing people using *-dor* and *-ista*

You can identify someone who participates in a particular sport or activity by changing the ending on the sport to *-dor (-dora)* in some cases or *-ista* in others (which remains the same for males or females).

esquiar → el esquia**dor**/la esquia**dora**   el básquetbol → el/la basquetbol**ista**

Note: The accent mark is not used on the newly formed word when these endings are added.

10 The list below indicates several types of athletes. For each category put the name of a well-known athlete to match the sport/profession.

Nombre

1. tenista   _____

2. beisbolista   _____

3. ciclista   _____

4. esquiador(a)   _____

5. futbolista   _____

6. basquetbolista   _____

7. patinador(a)   _____

Repaso rápido: using ordinal numbers

Los números ordinales (such as first, second and third) are used to place things in order. In Spanish only the first ten ordinal numbers are commonly used. They usually follow definite articles and precede nouns. Like other adjectives, the ordinal numbers must agree in gender and number with the nouns they modify.

El segundo día de la semana es martes.
Julio es el séptimo mes del año.

Elena fue la segunda nadadora en terminar.
Ana e Isabel fueron las primeras corredoras en terminar.

When *primero* and *tercero* precede a masculine singular noun, they are shortened to *primer* and *tercer.*

El primer día de la semana es lunes.
El tercer mes del año es marzo.

11 **Answer the following questions about the calendar.**

1. ¿Cuál es el primer mes del año?

   _____

2. ¿Cuál es el sexto mes del año?

   _____

3. ¿Cuál es el noveno mes del año?

   _____

4. ¿Cuál es el tercer día de la semana?

   _____

5. ¿Cuál es el quinto día de la semana?

   _____

12 In the left column make a list of your current classes. Then write statements to explain the order of the classes during the day.

MODELO   español   La primera clase es español.

1. _____   _____

   _____

2. _____   _____

   _____

3. _____   _____

   _____

4. _____   _____

   _____

5. _____   _____

   _____

6. _____   _____

   _____

7. _____   _____

   _____

Capítulo 8

Lección A

1 Match items from the two columns.

1. _____ arreglar   A. en el supermercado

2. _____ cocinar   B. la ropa

3. _____ comprar   C. la casa

4. _____ colgar   D. la cama

5. _____ hacer   E. la basura

6. _____ sacar   F. la paella

2 Combine items from the two columns to say how often you do the following things.

a veces	sacar la basura
muchas veces	hacer la cama
una vez al día	cocinar para mi familia
todos los días	colgar la ropa
(casi) siempre	arreglar la casa
(casi) nunca	comprar en el supermercado

MODELO   Todos los días hago la cama.

1. _____

2. _____

3. _____

4. _____

5. _____

6. _____

Repaso rápido: direct object pronouns

You have learned that direct object pronouns show the person or thing in a sentence that receives the action of the verb. Direct object pronouns generally precede a conjugated verb but also can be attached to the end of an infinitive or to the end of a present participle.

me	nos
te	os
los	los
las	las

Limpio la casa.	→	*La limpio.*
Estoy limpiando la casa.	→	*La estoy limpiando.* *Estoy limpiándola.*
Voy a limpiar la casa.	→	*La voy a limpiar.* *Voy a limpiarla.*

3 **Paula and her friends are doing different household chores. Rewrite each of the following statements using a direct object pronoun.**

1. Miguel y Rosa están comprando la comida.

   _____

2. Javier está cocinando la paella.

   _____

3. Nosotros estamos limpiando la casa.

   _____

4. Estoy arreglando la sala.

   _____

5. Ana está adornando el patio.

   _____

Repaso rápido: indirect object pronouns

The indirect object is the person in a sentence **to whom** or **for whom** something is said or done.

> I am talking **to you**. We are going to buy a present **for him**.

An indirect object pronoun (*pronombre de complemento indirecto*) is sometimes used in place of an indirect object. You already have used the indirect object pronouns with the verb *gustar*. They look the same as the direct object pronouns with the exception of *le* and *les*.

me	*to me, for me*	**nos**	*to us, for us*
te	*to you, for you*	**os**	*to you, for you* (vosotros,-as)
le	*to you, for you* (Ud.) *to him, for him* *to her, for her*	**les**	*to you, for you* (Uds.) *to them, for them*

The rules for placement of indirect object pronouns are the same as those you learned for direct object pronouns.

They usually precede a conjugated verb but may be attached to an infinitive or a present participle. In the case of the present participle, you have to add an accent mark to maintain the original pronunciation.

Te voy a decir un secreto.
Voy a decirte un secreto.

I am going to tell **you** a secret.

Ana me está hablando.
Ana está hablándome.

Ana is talking **to me**.

Place any negative expressions before the indirect object pronouns.

No les voy a escribir hoy.
Nunca nos dicen la verdad.

I'm **not** going to write **to them** today.
They **never** tell **us** the truth.

When you use the indirect object pronoun *le* it may be necessary to add *a Ud., a él, a ella* or *a* + noun for clarity or emphasis. Similarly, the indirect object pronoun *les* may be accompanied by *a Uds., a ellos, a ellas* or *a* + plural noun.

Le doy la receta a Ud.　　　*Les doy la receta a Uds.*

4 Imagine that different people are helping you today because you are in a hurry. Say what the following friends and relatives are doing for you.

MODELO   Marta / preparar la comida
Marta me está preparando la comida. / Marta está preparándome la comida.

1. mi hermano / hacer la cama

_____

2. mi madre / arreglar la sala

_____

3. Carlos / limpiar el cuarto

_____

4. mis abuelos / comprar la comida

_____

5. mi padre / lavar la ropa

_____

5 Imagine that different people are exchanging gifts in a family celebration. Combine items from each column to say who is giving what to whom.

yo	me		un reloj
tú	te		un libro
mi hermana	le	dar	un disco compacto
nosotros	nos		una grabadora
mis padres	les		una radio

MODELO   Yo te doy un disco compacto.

1. _____

2. _____

3. _____

4. _____

5. _____

6 Answer each question in a complete sentence. In the first four answers you will identify people who do something to you or for you. In the last four answers you will indicate whether you do the same things in return.

1. ¿Quién te escribe cartas por correo electrónico?

   _____

2. ¿Quién te habla por teléfono?

   _____

3. ¿Quiénes te preparan la comida?

   _____

4. ¿Quiénes te compran la comida?

   _____

5. ¿Le escribes cartas por correo electrónico también?

   _____

6. ¿Le hablas por teléfono también?

   _____

7. ¿Les preparas la comida también?

   _____

8. ¿Les compras la comida también?

   _____

7 **Combine items from each column to summarize the e-mail correspondence of your family and friends.**

yo			a mis amigos
mis amigos			a mi hermano
nosotros	le		a mi tío
mi hermana	les	escribir	a mis abuelos
mis primos			a mis primos
mi madre			a mi hermana
mi padre			a mi prima
mis tías			a mis profesores

MODELO   Mi hermana les escribe a mis primos.

1. _____

2. _____

3. _____

4. _____

5. _____

6. _____

7. _____

8. _____

Repaso rápido: saying what just happened with *acabar de*

You can express what has just happened in the recent past by using a form of the verb *acabar* followed by *de* and an infinitive.

Rosa acaba de ir al supermercado.   Rosa has just gone to the supermarket.
Acabamos de limpiar la casa.   We have just cleaned the house.

8 Imagine that you and your family have just finished doing household chores. Combine items from each column to say the tasks that different people have completed.

nosotros		colgar la ropa
mi hermana		comprar la comida
mi padre	acabar de	cocinar
mis abuelos		limpiar la sala
yo		arreglar el cuarto
mis hermanos		sacar la basura

MODELO   Yo acabo de colgar la ropa.

1. _____

2. _____

3. _____

4. _____

5. _____

6. _____

9 Complete the crossword puzzle with words pertaining to household chores.

Across

3. la comida
5. la mesa
6. ir a la tienda para
8. los platos sucios
9. el cuarto

Down

1. sacar
2. pasar
4. después de comer
6. el piso
7. la ropa limpia en el cuarto

10 Some household chores are more pleasant than others. Rank the following tasks in your order of preference and then write five statements with *tener que* to summarize the things you have to do on a regular basis.

Los quehaceres	Mis preferencias
1. colgar la ropa	_____
2. arreglar mi cuarto	_____
3. poner la mesa	_____
4. dirigir el trabajo	_____
5. ir a buscar leche/pan	_____
6. lavar los platos	_____
7. sacar la basura	_____
8. recoger la mesa	_____
9. pasar la aspiradora	_____
10. preparar la comida	_____

MODELO   Tengo que ir a buscar leche.

1. _____
2. _____
3. _____
4. _____
5. _____

Repaso rápido: present tense of *oír* and *traer*

The verbs *oír* and *traer* are irregular in the present tense.

oír		**traer**	
oigo	oímos	traigo	traemos
oyes	oís	traes	traéis
oye	oyen	trae	traen

gerundio: oyendo   gerundio: trayendo

---

11 **Form complete sentences to say what the following people hear on the radio.**

MODELO   Uds. / música popular
            Uds. oyen música popular.

1. mi padre / música clásica

   _____

2. yo / música popular

   _____

3. nosotros / las noticias

   _____

4. tú / música salsa

   _____

5. mis abuelos / un programa nuevo

   _____

12 **Combine items from each column to say what different people are bringing to a picnic.**

nosotros		la música
mi abuela		los platos
Susana		el postre
yo	traer	la comida
Uds.		los vasos
Javier		el tocadiscos
tú		los refrescos
Clara y Rosa		las servilletas
mis tíos		los cubiertos

MODELO   Mi abuela trae el postre.

1. _____

2. _____

3. _____

4. _____

5. _____

6. _____

7. _____

8. _____

Repaso rápido: preterite tense of *-ar* verbs

The preterite tense is used to discuss actions or events that were completed in the past. To form the preterite tense of regular *-ar* verbs, remove the *-ar* ending from the infinitive and add the endings shown below.

trabajar

yo	trabaj**é**	nosotros nosotras	trabaj**amos**
tú	trabaj**aste**	vosotros vosotras	trabaj**asteis**
Ud. él ella	trabaj**ó**	Uds. ellos ellas	trabaj**aron**

Regular verbs that end in *-car*, *-gar* and *-zar* have a spelling change in the *yo* form of the preterite tense in order to maintain the original pronunciation of the infinitive.

bus**car** → bus**qué**   apa**gar** → apa**gué**   empe**zar** → emp**ecé**

13 **Choose from the following verbs to say what different people did yesterday. Add additional information to form complete sentences.**

comprar   estudiar   trabajar   lavar   cocinar   tocar

MODELO   tú   <u>Tú tocaste el piano.</u>

1. yo   _____

2. mi amiga   _____

3. mis amigos   _____

4. el/la profesor(a) _____

5. mis amigos y yo _____

6. tú   _____

Lección B

1 Match each food in the left column with its most typical color in the right column. You will use some colors more than once.

1. _____ el tomate   A. blanco

2. _____ el guisante   B. verde

3. _____ el arroz   C. amarillo

4. _____ el aguacate   D. rojo

5. _____ la banana   E. azul

6. _____ el ajo   F. negro

7. _____ la lechuga   G. gris

2 You are going to prepare a dinner of *ensalada* and *paella*. Write a shopping list of the things you will need to buy.

Para la ensalada

_____

_____

_____

_____

_____

_____

_____

Para la paella

_____

_____

_____

_____

_____

_____

_____

3 **Answer the following questions in complete sentences.**

1. ¿Te gusta cocinar?

    _____

2. En tu familia, ¿a quién le gusta mucho cocinar?

    _____

3. ¿Qué comida te gusta preparar?

    _____

4. ¿Qué compras en el supermercado?

    _____

5. ¿Prefieres comprar en un supermercado o un mercado?

    _____

6. ¿Cuál es tu comida favorita?

    _____

7. ¿Qué comida no te gusta?

    _____

4 **Form complete sentences with the information provided.**

> MODELO   a mí / importar / comer bien
> (A mí) me importa comer bien.

1. a nosotros / hacer falta / el arroz

   _____

2. a Teresa / parecer bien / comer una paella

   _____

3. a mí / importar / los precios en el supermercado

   _____

4. a ti / hacer falta / los refrescos para la fiesta

   _____

5. a Uds. / parecer mal / no tomar leche

   _____

6. a Clara / importar / el pastel

   _____

5 Combine items from each column to form complete sentences.

a mí			ir al mercado
a tí	me		comer bien
a Ud.	te	hacer falta	comprar el queso
a mi hermana	le	parecer	saber los precios
a nosotros	nos	importar	cocinar esta noche
a Uds.	les		ir al supermercado
a mis padres			tener comida fresca

1. _____

2. _____

3. _____

4. _____

5. _____

6. _____

7. _____

Repaso rápido: making comparisons

Comparisons are used to compare people or things. Follow these patterns:

$$\boxed{más/menos + \text{adjective/adverb} + que \quad tan + \text{adjective/adverb} + como}$$

$$\boxed{más/menos + \text{noun} + que \quad tanto\text{-}a,\text{-}os, \text{as} + \text{noun} + como}$$

$$\boxed{\text{verb} + más/menos \ que \qquad \text{verb} + tanto\ como}$$

Some adjectives and adverbs have irregular comparative forms: *bueno,-a (mejor), bien (mejor), malo,-a (peor), mal (peor), grande (mayor/más grande), pequeño,-a (menor/más pequeño,-a), joven (menor/más joven), viejo,-a, (mayor/más viejo,-a).*

When making comparisons it is also common to single out a person, group, object or attribute as the best, worst, most or least. Such statements are called superlatives and use the following patterns:

$$\boxed{\begin{array}{c}\text{definite article (+ noun)} + más/menos + \text{adjective} \\ \text{(or an irregular comparative)}\end{array}}$$

*La paella es **la comida más popular**.*   Paella is **the most popular food**.

$$\boxed{\text{verb} + lo + más/menos + \text{adverb} + posible}$$

*Debes ir a la tienda **lo más pronto***   You should go to the store as
                                              soon as possible.

6 Write complete sentences to express logical comparisons of the items given.

> **MODELO** la comida fresca / la comida en lata
> <u>La comida fresca es más natural que la comida en lata.</u>

1. los supermercados / los mercados

   _____

2. la comida mexicana / la comida española

   _____

3. los restaurantes / las cafeterías

   _____

4. la carne/el pollo

   _____

7 Write complete sentences to express logical comparisons of the items given.

MODELO   la clase de español / la clase de biología
La clase de español es más interesante que la clase de biología.

1. la televisión / el cine

_____

2. el tenis / el básquetbol

_____

3. el béisbol / el fútbol

_____

4. la música rock / la música clásica

_____

5. el verano / el invierno

_____

8 The following six statements tell you some things about Manuel. After each statement write a sentence in which you compare yourself to him.

MODELO   Manuel tiene tres hermanas.
Yo tengo tantas hermanas como él.

1. Manuel tiene un hermano.

_____

2. Manuel tiene diez primos.

_____

3. Manuel tiene veinte años.

_____

4. Manuel tiene cuarenta discos compactos.

_____

5. Manuel toca tres instrumentos musicales.

_____

6. Manuel cocina todos los días.

_____

9 Write complete sentences to identify the following places in the city where you live.

MODELO   el parque más popular
          <u>El parque más popular de mi ciudad es el Parque Nacional.</u>

1. el supermercado más grande

   _____

2. el peor restaurante

   _____

3. los mejores restaurantes

   _____

4. la tienda más elegante

   _____

5. el lugar más bonito

   _____

10 Imagine that your family is preparing for a party. Say what different people are doing, according to the following cues.

MODELO   yo / limpiar / bien
          <u>Yo limpio lo mejor posible.</u>

1. nosotros / arreglar la sala / pronto

   _____

2. mi padre / cocinar / temprano

   _____

3. mis hermanos / barrer el suelo / bien

   _____

4. yo / comprar el pastel / rápidamente

   _____

5. mi madre / poner la mesa / pronto

   _____

11 Complete the crossword puzzle with the appropriate food vocabulary.

Across

1. carne típica en la paella
2. no la comen los vegetarianos
3. verdura para la ensalada
6. postre típico bien frío
7. verdura de color verde, rojo o amarillo
11. fruta popular en pasteles
12. fruta pequeña y roja

Down

1. comida típica de España
4. postre muy dulce
5. verdura verde y pequeña
8. cereal de color amarillo
9. tipo de carne
10. bebida caliente popular por la mañana

12 Develop a menu for breakfast, lunch and dinner at your home. Be sure to have a balanced diet and do not include any item more than once.

Menú

el desayuno	el almuerzo	la cena
_____	_____	_____
_____	_____	_____
_____	_____	_____
_____	_____	_____
_____	_____	_____

de tomar:

_____	_____	_____

13 **Answer each question to describe your food preferences.**

1. ¿Comes muchas o pocas frutas?

   _____

2. ¿Cuál es tu fruta favorita?

   _____

3. ¿Comes muchas o pocas verduras?

   _____

4. ¿Cuál es tu verdura preferida?

   _____

5. ¿Prefieres comer carne o pescado?

   _____

6. ¿Qué helados te gustan?

   _____

7. ¿Qué comida te gusta preparar?

   _____

Repaso rápido: more about the preterite

You already have learned the preterite tense endings of regular *-ar* verbs.

cocinar

yo	cocin**é**	nosotros nosotras	cocin**amos**
tú	cocin**aste**	vosotros vosotras	cocin**asteis**
Ud. él ella	cocin**ó**	Uds. ellos ellas	cocin**aron**

Unlike regular *-ar* verbs such as *cocinar*, the verbs *dar* and *estar* are irregular in the preterite tense.

dar		**estar**	
di	dimos	estuve	estuvimos
diste	disteis	estuviste	estuvisteis
dio	dieron	estuvo	estuvieron

14 **Choose from the infinitives in the box and provide the correct preterite-tense verb forms to complete the paragraph.**

estar	dar	tomar	hablar	preparar

El sábado pasado mis padres (1)_____ una fiesta para celebrar el

cumpleaños de mi abuela. Todos mis tíos y primos (2)_____ en la fiesta y

mi sobrina también (3)_____. Nosotros (4)_____ mucho con la

abuela. Mi madre (5)_____ una paella deliciosa para la fiesta. Yo le

(6)_____ chocolates a mi abuela y mi hermana le (7)_____ un

libro. Mi abuela (8)_____ muy contenta con la comida y los regalos.

15 Combine items from each column to say where different people were last Friday evening.

Alejandro		la fiesta de cumpleaños de Ana
David y yo		el cine
mis amigos	estar en	el partido de fútbol
tú		el concierto de rock
yo		el supermercado
Ud.		el teatro

1. _____

2. _____

3. _____

4. _____

5. _____

6. _____

Capítulo 9

Lección A

1 Say what clothing you typically wear to the following locations and events.

1. la playa _____

2. el colegio _____

3. una fiesta formal _____

4. una fiesta informal _____

5. un partido de fútbol americano _____

2 Match the item in the left column with the body part in the right column.

1. _____ los calcetines   A. el dedo

2. _____ el sombrero *(hat)*   B. las manos

3. _____ los guantes *(gloves)*   C. las piernas

4. _____ el pantalón   D. los pies

5. _____ el anillo *(ring)*   E. la cabeza

6. _____ la camisa   F. los brazos

3 Answer the following questions in complete sentences.

1. ¿Qué ropa llevas hoy?

   _____

2. ¿Cuál es tu color favorito para la ropa?

   _____

3. ¿Quién lleva traje y corbata al colegio?

   _____

4. ¿En qué estación del año necesitas un suéter?

   _____

5. ¿Qué ropa necesitas para esquiar en las montañas?

   _____

4 Combine items from the two columns to describe some of the clothing that you own.

La ropa	Los colores
la camisa	anaranjado
el pantalón	amarillo
los zapatos	rosado
el traje	verde
el vestido	marrón
la blusa	negro
la falda	morado

MODELO   Tengo una camisa roja.

1. _____

2. _____

3. _____

4. _____

5. _____

Repaso rápido: adjectives as nouns

Remember that a definite article is required when naming colors in Spanish because they are considered nouns.

*Prefiero **el** (color) azul.*   I prefer blue.

In addition, sometimes a word being described may be omitted in order to avoid repeating a noun. In such cases the article remains and the adjective must agree with the noun that was omitted.

*¿Te gusta la camisa blanca o **la** (camisa) **azul?***   Do you like the white shirt or **the blue one?**

5 **Say how many of the following items you have and give a description of them.**

MODELO   camisa   <u>Tengo dos camisas. Una roja y una blanca.</u>

1. zapatos   _____

2. botas   _____

3. traje de baño   _____

4. pijama   _____

5. medias / calcetines   _____

6. jeans   _____

Repaso rápido: preterite of -er and -ir verbs

Remove the last two letters from the infinitive and add the appropriate endings.

correr		vivir	
corrí	corrimos	viví	vivimos
corriste	corristeis	viviste	vivisteis
corrió	corrieron	vivió	vivieron

The -ir verbs that have a stem change in the present tense also require a stem change in the preterite tense: *dormir (ue, u)*, *sentir (ie, i)*, *pedir (i, i)*, *preferir (ie, i)*, *mentir (ie, i)*, *repetir (i, i)*. This second change only occurs for *Ud., él, ella, Uds., ellos* and *ellas*.

dormir		sentir		pedir	
dormí	dormimos	sentí	sentimos	pedí	pedimos
dormiste	dormisteis	sentiste	sentisteis	pediste	pedisteis
durmió	durmieron	sintió	sintieron	pidió	pidieron

6 Use the information provided to say what different people did yesterday.

1. nosotros / comer en un restaurante

   _____

2. mi amiga / pedir una ensalada

   _____

3. Uds. / escribir una carta

   _____

4. yo / aprender mucho en mi clase de español

   _____

5. Ud. / dormir muchas horas

   _____

6. tú / correr / tres kilómetros

   _____

7 Combine items from each column to form seven logical statements about last weekend.

mis amigos	trabajar	en la tienda de ropa
yo	dormir	en el centro comercial
nosotros	comprar	en una fiesta
Ud.	pedir	pocas horas
mi amiga	escribir	una chaqueta
tú	estar	mucha fruta
mis primos	comer	una composición

1. _____

2. _____

3. _____

4. _____

5. _____

6. _____

7. _____

8 Choose from the infinitives listed below and provide the correct preterite-tense verb forms to complete the paragraph.

comprar   estar   tomar   pedir   comer

El sábado pasado mi amiga y yo (1)_____ en el centro comercial.

Después de mirar en muchas tiendas yo (2)_____ un abrigo negro y

mi amiga (3)_____ una chaqueta azul. Luego nosotros

(4)_____ en un restaurante excelente. Mi amiga

(5)_____ carne con papas y yo (6)_____ un

sandwich de pollo. Para terminar el día nosotros (7)_____ en el cine

del centro comercial para ver una película. Otras amigas también

(8)_____ en el cine y después de la película nosotros

(9)_____ un refresco con ellas. ¡Fue un día muy bueno!

9 **Complete the following crossword puzzle.**

Across

1. Este __ amarillo me gusta mucho.
2. ¿No le gusta __ de estos pantalones?
4. Esta camisa la puedo __ con mi corbata nueva.
6. Tengo un sólo __. No sé dónde está el otro.
8. ¿Venden __ de lana?
9. Prefiero llevar esta __ y no aquel impermeable.
10. ¿Tienen abrigos rojos? No, no nos queda __.

Down

1. El __ se lleva en la cabeza.
3. Esta chaqueta me __ muy grande.
4. Ayer fui al centro __ Plaza Paitilla.
5. No me gusta __ de estas chaquetas.
7. ¿Hay __ a quién preguntar?

Repaso rápido: preterite tense of *-ir* and *-ser*

The irregular preterite tense forms of the verbs *ir* and *ser* are identical.

ir/ser

fui	fuimos
fuiste	fuisteis
fue	fueron

¿***Fuiste*** al partido ayer?   **Did** you **go** to the game yesterday?
Sí, ***fui*** al partido y ***fue*** bueno.   Yes, I **went** to the game and it **was** good.

---

10 **Write complete sentences to say where different people went last weekend.**

MODELO   mi amigo / ir / el parque
                 <u>Mi amigo fue al parque.</u>

1. nosotros / ir / el centro comercial

   _____

2. mis tíos / ir / el teatro

   _____

3. yo / ir / el parque

   _____

4. Teresa / ir / el supermercado

   _____

5. tú / ir / el cine

   _____

6. Ud. / ir / el centro

   _____

11 In the preceding exercise you wrote six statements about where people went last weekend. Now write logical statements to say what they did while they were at those locations.

> MODELO   Mi amigo fue al parque.
> <u>Él corrió y caminó en el parque.</u>

1. _____

2. _____

3. _____

4. _____

5. _____

6. _____

12 Write a paragraph of seven to eight sentences about last weekend. Be sure to explain where you and other people went and what you did.

_____

_____

_____

_____

_____

_____

_____

Repaso rápido: affirmative and negative words

The following chart shows common affirmative and negative expressions.

sí *(yes)*	**no** *(no)*
algo *(something, anything)*	**nada** *(nothing, anything)*
alguien *(somebody, anybody)*	**nadie** *(nobody, anybody)*
algún, alguna,-os,-as *(some, any)*	**ningún, ninguna,-os,-as** *(none, not any)*
o...o *(either...or)*	**ni...ni** *(neither...nor)*
siempre *(always)*	**nunca** *(never)*
también *(also, too)*	**tampoco** *(neither, either)*

In Spanish it is possible to put a negative expression before the verb and one or more negative expressions after the verb. It is also common for certain negative expressions to be used alone before the verb.

*Luis **no** compra **nunca** en aquella tienda.*

*Luis **nunca** compra en aquella tienda.*

Luis **never** buys anything at that store.

When *nadie* or a form of *ninguno* are direct objects referring to people, the personal *a* is required.

***No** veo **a nadie** en la oficina.*   I don't see anyone in the office.
***No** veo **a ninguna** amiga aquí.*   I don't see any friend here.

13 Match the affirmative expression in the left column with its opposite negative expression in the right column.

1. _____ alguien   A. nada

2. _____ siempre   B. tampoco

3. _____ algo   C. ni...ni

4. _____ también   D. nadie

5. _____ alguna   E. nunca

6. _____ o...o   F. ninguna

14 **Make the affirmative statements negative and the negative statements affirmative.**

1. Siempre compramos en esa tienda.

   _____

2. Necesito comprar algo para la fiesta.

   _____

3. Diana va de compras y yo voy también.

   _____

4. No hay nadie en clase con una corbata.

   _____

5. No me gusta ningún pantalón en la tienda.

   _____

6. No voy a comprar ni una camisa ni unos zapatos.

   _____

Lección B

1 Imagine that you have just bought presents for family members and friends. For each present listed, identify the recipient and explain your gift selection.

> MODELO   el paraguas
> _El paraguas es para mi tía porque llueve mucho en su ciudad._

1. el perfume

   _____

2. la billetera

   _____

3. el pijama

   _____

4. el cinturón

   _____

5. la bufanda

   _____

6. la pulsera de oro

   _____

2 Make a list of five presents you received in the past year. Then note the occasion for the present, the person who gave it to you and your reaction.

El regalo	¿Por qué?	¿De quién?	Mi reacción
un suéter	mi cumpleaños	mi abuela	¡qué bonito!
1. _____	_____	_____	_____
2. _____	_____	_____	_____
3. _____	_____	_____	_____
4. _____	_____	_____	_____
5. _____	_____	_____	_____

3 **Answer the following questions in complete sentences.**

1. ¿Prefieres dar o recibir regalos?

   _____

   _____

2. ¿A quién le das regalos con frecuencia?

   _____

   _____

3. ¿Quién te da regalos con frecuencia?

   _____

   _____

4. ¿En qué tienda buscas regalos especiales?

   _____

   _____

5. ¿En qué ocasión especial te gusta dar regalos?

   _____

   _____

> **Repaso rápido: diminutives**
> Remember that to indicate affection or convey the idea that something is small you should replace the final vowel of a noun with the endings *-ito, -ita, -itos* and *-itas: Clara (Clarita)*. For nouns that end in a consonant, add the endings *-cito, -cita, -citos* or *-citas* to the complete word: *cinturón (cintoroncito)*. Additional diminutive endings you may encounter include *-illo, -illa, -uelo, -uela, -ico* and *-ica*. Other words may require a spelling change: *poquito (poco)*.

4 **Give the diminutives of the following names.**

MODELO   Belén → Belencita

1. Julio → _____
2. Sara → _____
3. Adolfo → _____
4. Gloria → _____
5. Roberto → _____
6. Elena → _____
7. Javier → _____
8. Rosario → _____

Repaso rápido: preterite tense of *leer*, *oír*, *ver*, *decir*, *hacer* and *tener*

leer		oír		ver	
leí	leímos	oí	oímos	vi	vimos
leíste	leísteis	oíste	oísteis	viste	visteis
leyó	leyeron	oyó	oyeron	vio	vieron

decir		hacer		tener	
dije	dijimos	hice	hicimos	tuve	tuvimos
dijiste	dijisteis	hiciste	hicisteis	tuviste	tuvisteis
dijo	dijeron	hizo	hicieron	tuvo	tuvieron

5 Combine items from each column to say what different people did yesterday.

mi amiga	leer	un programa de televisión
mi amiga y yo	oír	un programa de radio
yo	ver	un examen importante
mis abuelos	decir	un postre especial
el/la profesor(a)	hacer	un partido de béisbol
tú	tener	una revista interesante
Ud.		las noticias

1. _____

2. _____

3. _____

4. _____

5. _____

6. _____

7. _____

6 Complete the crossword puzzle with the appropriate preterite tense of the conjugations indicated.

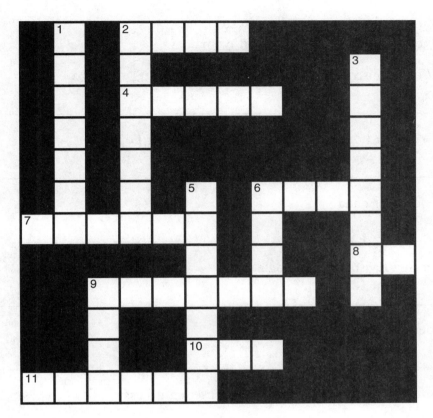

Across

2. yo (tener)
4. nosotros (ver)
6. yo (hacer)
7. tú (leer)
8. yo (oír)
9. ellos (decir)
10. ella (oír)
11. ellos (ver)

Down

1. tú (tener)
2. nosotros (tener)
3. ellas (hacer)
5. ellos (leer)
6. ella (hacer)
9. yo (decir)

7 **Write what you and your friends did yesterday, using the preterite forms of the indicated verbs.**

MODELO   Graciela / hacer una paella con su prima
Graciela hizo una paella con su prima.

1. Pedro / oír su disco compacto de salsa

_____

2. Rafael y Soledad / ver la nueva película de Jennifer López

_____

3. Uds. / no hacer nada

_____

4. yo / leer una revista de tecnología

_____

5. tú / tener que ir al médico

_____

6. todos mis amigos / oír música de la Internet en mi casa

_____

7. María y Edgar / decir muchas cosas a Humberto

_____

8 **Answer the following questions about last week.**

1. ¿Qué libros leíste para tus clases?

   _____

2. ¿Qué programa de televisión o película viste?

   _____

3. ¿Qué hiciste en tu tiempo libre?

   _____

4. ¿Qué hicieron tus amigos el viernes?

   _____

5. ¿Qué tuviste que hacer en tu casa?

   _____

6. ¿Qué tuvieron que hacer las otras personas en tu familia?

   _____

9 **Find and circle seven shopping terms that are spelled out on the grid.**

```
T  O  Í  P  E  A  U  É  C  A  X  B
P  A  G  A  R  N  L  I  A  I  Ú  A
I  H  B  Ó  P  F  T  Y  J  O  T  R
L  O  F  E  R  T  A  B  A  M  P  A
P  R  O  M  A  Y  D  Ó  N  I  J  T
C  R  É  D  I  T  O  F  R  É  D  O
Q  A  C  A  L  I  D  A  D  P  I  Y
T  R  O  Ú  B  V  O  P  Z  C  V  I
```

10 **Answer the following questions about your shopping habits.**

1. ¿Dónde te gusta ir de compras?

   _____

2. ¿Cuándo hay ofertas especiales?

   _____

3. ¿Prefieres pagar en efectivo o a crédito?

   _____

4. ¿Es más importante el buen precio o la buena calidad?

   _____

5. ¿Qué tienda tiene buenos precios y buena calidad?

   _____

6. ¿Qué tienda tiene precios caros y buena calidad?

   _____

Repaso rápido: using prepositions

You have learned the following prepositions in Spanish:

a	de	en	para	sin
con	desde	hasta	por	sobre

You also have learned that prepositions are sometimes accompanied by prepositional pronouns. For example, with the verb *gustar* you have used prepositional pronouns in combination with the preposition *a* for clarity or emphasis.

*A **ella** le gusta pagar con la tarjeta de crédito.*
*A **nosotros** nos gusta pagar en efectivo.*

The following prepositional pronouns may be used with the prepositions you have learned:

para **mí**	para **nosotros,-as**
para **ti**	para **vosotros,-as**
para **Ud.**	para **Uds.**
para **él**	para **ellos**
para **ella**	para **ellas**

Two exceptions are *conmigo* (with me) and *contigo* (with you), which are used with the preposition *con* instead of *mí* and *ti*.

¿Vas a ir conmigo a la tienda?
Sí, voy a ir contigo.

11 **Complete each of the following sentences with an appropriate preposition.**

1. Compro un bolso _____ mi hermana.

2. Siempre debes ir a las fiestas _____ tu hermano.

3. Pones los vasos sucios _____ el lavaplatos.

4. ¿_____ ti te gusta comprar perfumes?

5. Voy _____ el centro comercial y vuelvo.

6. La pulsera de oro está _____ la mesa de la cocina.

7. El cinturón es _____ cuero.

8. Clara va a tu casa _____ la noche.

12 Complete each sentence by providing the logical word.

> MODELO   Es el cumpleaños de Alicia. Este regalo es para <u>ella</u>.

1. Es el aniversario de mis abuelos. Este regalo es para _____.

2. Paco está muy triste. Yo debo hablar con _____ para saber cuál es el problema.

3. A Juan le gusta la tienda de música. También nos gusta mucho a _____.

4. Tú piensas ir al partido y yo también quiero ir. Voy a ir al partido _____.

5. Lola está enferma. Ramón no tiene ganas de ir al cine sin _____.

6. Tú y yo acabamos de terminar la tarea. ¿Quieres ir al cine _____?

13 Answer the following questions negatively, using the given cues.

> MODELO   ¿Es la corbata para Juan? (Ramiro)
> <u>No, no es para él. Es para Ramiro.</u>

1. ¿Es el collar de perlas para Rosa? (Sofía)

   _____

2. ¿Son los pañuelos para Gloria y Teresa? (Amparo)

   _____

3. ¿Son los aretes de plata para mí? (Marta)

   _____

4. ¿Son los pijamas para Javier y Carlos? (tú)

   _____

5. ¿Son los relojes para nosotros? (Alfredo y Graciela)

   _____

6. ¿Son las billeteras para Elena y Alfonso? (tú y yo)

   _____

Capítulo $\boxed{10}$

Lección A

1 **Choose from the following activities to summarize what you and others did last weekend.**

ir de compras	trabajar	bailar
estudiar mucho	leer una revista	ir al teatro
montar en bicicleta	limpiar la casa	escribir una carta
comer en un restaurante	preparar la comida	ver televisión

MODELO <u>El domingo preparé la comida para mi familia.</u>

1. _____

_____

2. _____

_____

3. _____

_____

4. _____

_____

5. _____

_____

6. _____

_____

7. _____

_____

8. _____

_____

2 Interview your classmates to find out who did the following things last weekend. You should find a different person for each activity.

Actividad	Nombre
estudiar mucho	_____
leer una revista	_____
ver una película	_____
ir de compras	_____
montar en bicicleta	_____
limpiar la casa	_____
escribir una carta	_____
trabajar	_____
comer en un restaurante	_____
cocinar	_____
ir a un concierto	_____
dormir muchas horas	_____

3 Find and circle eight school subjects that are spelled out on the grid.

A	R	T	E	X	A	E	É	M	A	X	B
P	A	G	Á	H	I	S	T	Ú	I	U	I
Í	H	B	O	P	F	P	Y	S	O	T	O
C	O	M	P	U	T	A	C	I	Ó	N	L
P	R	O	M	A	Y	Ñ	Ó	C	I	J	O
I	N	G	L	É	S	O	F	A	E	D	G
Q	A	C	A	L	I	L	A	D	P	I	Í
T	R	Ó	U	H	I	S	T	O	R	I	A
M	A	T	E	M	Á	T	I	C	A	S	C

4 Answer the following questions about your life at school.

1. ¿Cuáles son tus clases favoritas?

_____

2. ¿Por qué te gustan estas clases?

_____

3. ¿En qué clases tienes que trabajar mucho?

_____

4. ¿Qué te gusta de la escuela?

_____

5. ¿En qué deportes o clubes participas?

_____

6. ¿Cuándo terminas la escuela este año?

_____

5 Write a composition in Spanish about the school year that is about to end. Include information about your activities, classes, friends and special events.

_____

_____

_____

_____

_____

_____

_____

6 **Answer the following questions to note what you and others have to do in the next few days.**

1. ¿Qué tienes que hacer esta noche?

   _____

2. ¿Qué tienes que hacer mañana?

   _____

3. ¿Qué tienes que hacer el próximo fin de semana?

   _____

4. ¿Qué tienen que hacer tus amigos?

   _____

5. ¿Qué tiene que hacer tu mejor amiga?

   _____

6. ¿Qué tienen que hacer los profesores?

   _____

◆Lección B

1 The words in the box below indicate places in the Spanish-speaking world that you have learned about this year. Refer to them as you complete the following statements about your travel interests.

México   **Puerto Rico**   *Ecuador*   Nicaragua

Venezuela   **Colombia**   Argentina   **Chile**

España   *Panamá*   **República Dominicana**

Perú   **Guatemala**   *Bolivia*   **Uruguay**

Costa Rica

1. Me gustaría visitar _____ porque _____

   _____.

2. Me gustaría viajar a _____. En este país yo _____

   _____.

3. También me gustaría visitar _____ porque _____

   _____.

4. En _____ me gustaría _____

   _____.

5. _____ me parece muy interesante. En este país yo

   _____.

2 **Answer the following questions about your plans for the summer.**

1. ¿Qué piensas hacer durante las vacaciones?

   _____

   _____

2. ¿Vas a viajar a algún lugar interesante?

   _____

   _____

3. ¿Tienes que trabajar durante el verano?

   _____

   _____

4. ¿Qué trabajo te gustaría hacer?

   _____

   _____

5. ¿Piensas ir a un concierto especial?

   _____

   _____

6. ¿Qué deportes vas a jugar?

   _____

   _____

7. ¿Quién va a celebrar tu cumpleaños durante el verano?

   _____

   _____

3 Complete the following crossword puzzle of jobs you can do during the summer.

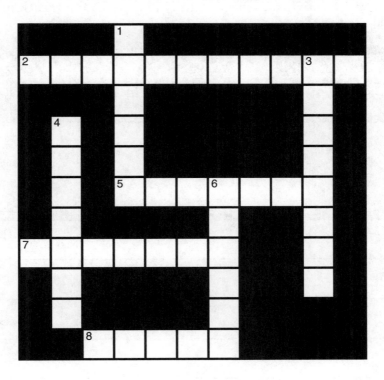

Across

2. trabajar en una tienda como __
5. trabajar en una __ como secretario/a
7. __ casas sucias
8. cuidar __

Down

1. trabajar de __ en un restaurante
3. hacer __ de jardinería
4. ser salvavidas de una __
6. reparar __

4 Write an e-mail to a friend in a Spanish-speaking country. In your e-mail include information about your activities, school, family and plans for vacation.

| | Normal | MIME | QP | | | | | Enviar |

Para:
De:
Asunto:
Cc:

_____

_____

_____

_____

_____

_____

_____

_____

_____

_____

5 List five of your favorite activities for each season of the year in order of preference.

<table>
<tr><td colspan="2"> verano </td><td colspan="2"> otoño </td></tr>
</table>

	verano		otoño
1.	_____	1.	_____
2.	_____	2.	_____
3.	_____	3.	_____
4.	_____	4.	_____
5.	_____	5.	_____

	invierno		primavera
1.	_____	1.	_____
2.	_____	2.	_____
3.	_____	3.	_____
4.	_____	4.	_____
5.	_____	5.	_____

6 Find and circle nine professions that are spelled out in the grid.

```
S  G  H  J  K  Q  W  Ó  I  K  L  Q  W  É  R
D  F  J  H  L  Á  E  P  U  O  Z  I  U  Y  T
A  G  R  I  C  U  L  T  O  R  X  Ó  P  L  K
R  D  K  G  Z  S  R  L  Y  E  C  G  H  J  P
Q  S  L  F  X  D  T  K  T  U  V  F  D  S  R
U  A  M  É  D  I  C  O  R  Q  B  W  Q  A  O
I  C  P  D  C  F  Y  A  M  N  Ñ  E  R  T  G
T  V  O  S  V  G  T  J  E  A  M  I  Ú  Y  R
E  E  Í  A  B  S  Ú  H  W  B  E  O  P  A  A
C  K  U  Q  I  H  I  G  Q  J  S  S  D  F  M
T  V  E  T  E  R  N  A  R  I  O  H  T  G  A
O  B  R  W  Ñ  J  O  F  Á  H  J  K  L  R  D
G  A  Y  E  O  K  P  D  S  G  Z  X  C  V  O
W  F  T  R  M  L  A  S  D  F  Q  M  N  B  R
Í  R  C  O  C  I  N  E  R  O  W  É  R  T  Y
```

7 In the left column list five careers that interest you. Then explain why you find each one appealing.

Carrera	¿Por qué?
MODELO médico/a	Me gusta ayudar a otras personas.
1. _____	_____
2. _____	_____
3. _____	_____
4. _____	_____
5. _____	_____